흑백포르노

무명

도망치고 각인되고 회피하고 새기다가
미화도 흉터로 남아버린 이상

푼돈도 용기가 필요해 의견문이 썩어빠지게 달다.

2023. 10. 12

목차

제 비관이 예술 같다면 맛만 보지 말고 사 가세요.

나는 매번 내 머리 꼭대기에서 자살한다

—— 黑

내가 살아야만 하는 이유가 있다면
그 이유를 없애기 위해 죽어야 할 것 같았다.

사람은 쉽게 죽지 않는다는 말의 곁으로 내가 사람인 것이 태생적 한계로 느껴지니 기억나지도 않는 부모를 떠올리다 병나발을 불던 소주병을 머리에 들이박는다. 교통사고 나보신 적 있으세요? 대뜸 친분을 과시하는 놈에게 물음 하나를 던지고 일 차선 차량을 바라보며 인도 위로 설치된 균일하지 못한 대리석에 오른다. 평소 같은 걸음에 처량히 씻겨나갈 핏기가 눈에 휜하니 옆에서 들려오는 병동의 경험담은 그저 우스울 뿐이라 휘어지지도 않는 입꼬리의 인상을 애써 구기며 죽어가는 흙장난으로 답을 대신했다.

*

숨, 필터를 장착해도 뵈지 않는 시선이 누굴 가리키던 무슨 소용이 있겠는가. 뿌연 심장이 내장이 되어 튀어 오를 것 같은 호흡이었다. 공기가 시끄럽다. 뱉어내는 탄소가 소란스러워 옷깃마저 질퍽해진다. 신발 밑창에 접착제를 발라

놓은 듯 어기적거리게 되는 발걸음과 적막을 타고 흐르는 말본새에 형식적인 감정을 담아둔다. 사랑, 감은, 면구. 과거에서나 점쳐질 미련, 속내, 한스럽지 못한 혈연.

죄송스럽네요. 죽기 편한 시대라.

죽음은 가볍고 사망이 흔하다는 타이핑의 흑심으로 당신의 삶은 쉬운가요 지름길의 폭도 모른 채 내달린다. 결승선을 놓치기 위한 새로운 경쟁. 위안도 예의에 어긋나는 것 같아요. 행태를 구술하고 바싹 마른 분紛을 펴 바르며 마주 보는 모든 의미가 쇠퇴하였음을. 마침표로 시작한다.

그리움도 애정의 일부라면 나는 그 소실점을 찾으려 머릿속을 헤집고 당신의 이름을 기억하기 위해 한 문장을 곱씹을 것이다. 읽어주던 음성을 왜곡하지 않으려 노력하며 거창해 보이지만 결국 안일한 사랑이 되어버리는 단어를 배제하고 독자로써 글을 읽다 나도 당신의 삶에 포함되었나 궁금해진다. 과거에는 당신의 애정이 위대해 보였으나 현재는 당신의 생이 신비롭단 시선이 쌓였다. 죽지도 살지도 못하는 생애에 빌붙은 사람이란 두 자아의 공통어가 우리란 말을 대체한다면 다른 표현법이 무슨 소용 있겠냔 물음이 묵음 처리가 된 답신이 된다. 나는 오늘도 당신을 찾는다. 줄을 쥐고 있어도 놓치는 건 헤엄칠 수 있기 때문일까. 바다는 하늘과 이어져 우주의 또 다른 이름이란 말을 회억한다. 당신은 지금 어떤 행성 위로 헤엄치고 있나요. 끝나지 않은 삶은 무한한 호기심이 가득하여 보고 싶다는 철자를 동강 내고 회상을 고집한다. 나는 다시 돌아올까 아직 지구 안이야. 명왕성에 꽃이 피었다는 소식을 남긴다.

그래서 너는 명왕성에 도착했니. 그곳에서 꽃은 피웠어?
사랑할 수밖에 없는 세상의 냉기를 홀로된 몸으로 껴안기엔
턱없이 부족하더라도 서로가 되자던 말을 지키고자 했을까.

난 여전히 이곳에 있다.
떠올리고, 번복하고, 흰 깃발을 들어 낙하시켜 줘.

어디서든 살아있단 소식이 듣고 싶다.

나는 회고의 글을 집어 비약과 죄책을 한 줄에 담는다
지우지 못하는 오탈자와 같은 삶 속에서
나는 나요 그대는 그대였거늘
나는 없고 그대가 내가 되어
돌지 못한 발걸음을 맞추려 애를 썼네
여전히 기다려보는 고향은 옛 향이 있어 고향인가

¹ 놀라우리만큼 적막한 아침. 바깥의 새소리보다 말없이 덜그럭거리는 수저와 접시의 마찰이 더욱 선명한 날이었다. 어젯밤 씻을 수 없는 상처의 되새김과 되새김을 멈추기 위한 발악의 행동들이 전부 없었던 일이 되듯. 오늘 아침은 그저 평범한 일상에 불과했다.

² 하루 반나절 꿈을 꿨다는 듯 홀로 서 있기 위해 발악했던 모습은 온데간데없고 눈으로 흘겼던 거울 속 처절함만이 갈라지는 걸음에 이끌려 바깥으로 향한다. 영하가 아닌 기온에도 연기가 되어버린 호흡에 빛바랜 어린 시절을 회고하며 실핏줄마저 울컥하다 얼어붙는다.

분주해지는 아침이 무고해 시리다.

살아있는 게 일처럼 느껴진다. 돈만 물 새듯 나가는 일 사는 것도 일시 정지가 되면 얼마나 좋을까. 포기하긴 이른 나이라는 말들 속에서 나는 어떤 이유를 찾아 젊음을 팔아 넘겨야 했을까. 언제까지 이른 나이인지도 모르겠다. 늙어 죽지도 않은 삶이 똥칠이 되어있는 것 같다.

숨을 숨으로 덮치는 거다. 우리의 열기 띤 호흡은 뽀얗지 못해서 겨울의 추위와 맞닿을 때면 농익은 체리색이 되니까. 중후한 밤과 같은 머리칼로 빛이 들어오는 곡선을 가린 채 입술을 뜯도록 하자. 나의 말에 피가 돌 때면 당신을 애정하고 있다는 의미기도 해.

내가 사랑한 보름을 올려다보는 날은 언제나 나를 사랑하지 않는 날이었다. 지치도록 아름다운 달 아래의 나는 그저 도로 위를 어슬렁거리는 변방의 이름 모를 방랑자가 된다. 죽도록 좋아하는 마음을 담아 죽여달라고 소원을 빌고서 눈을 감는 일도 지겨워진다.

달은 전부 거짓투성이다.

사람이 달라지면 죽는다던데 내가 태어난 계절이 겨울이라
겨울을 싫어하겠다는 마음이 원래 이렇게까지 간단하지 않
았거든요. 겨울향은 미치도록 독해서

코가 아리고
가슴이 쓰리고
눈을 질끈 감다가

느린 하품을 품으면 입김에 가려진 온기가 보여 울컥 동하
고 마는 거였어요. 근데 이젠 아니라고요.

온 세상이 담배 연기로 가득 차서 안개와 같다면 난 더 이상 아픈 목을 쥐고 널 사랑한다 토해내지 못할 텐데. 가끔은 내 더러운 속내가 의지와 다르게 들켜버려서 하루아침이란 말로 네가 떠나갔으면 좋겠다.

약과 섹스 중 무엇이 더 쾌락이 넘칠까.

그 나름의 원초적인 질문이었다. 반지를 잔뜩 낀 손가락으로 깍지를 끼고 세게 짓누르는 일도 표피가 전부 벗겨져 냉기 서린 화상 자국처럼 흔들리는 핏물도 타격 없는 무료함 앞에 펼쳐진 뒤틀린 애정이라 날 사랑하냐는 것과 같은 말이었다.

¹ 매일 아침 두 눈을 뜨고 뚫린 천장을 막아놓은 종잇조각을 바라보는 것이 망창스럽다. 하루라는 날은 평범과 가깝겠으나 하루의 나는 평범을 지켜보는 실핏줄을 엮어 신발 밑창을 이루노니 쉬운 길을 두고 돌아간다는 당신의 말에 고개를 숙일 수밖에 없었다. 내가 산다면 더 얼마나 살겠는가.

² 걱정 곁에 드러난 시샘이 잘 됐으면 좋겠단 억압으로 드러난다는 게 비굴해서 애써 웃어 보이는 사람이 된다. 세월이 흐를수록 지혜롭기는 무슨, 온갖 사상가의 유념이 담겨 대소변도 못 가리는 인간 통 덩어리가 되어가는 거야.

열에 아홉, 악몽이 피안화를 닮아 얄따랗게 피어날 때면 그 중 한 송이가 어렵게 져 한 소년을 나의 턱선으로 보내고 담배 한 개비를 물려준다. 한갓진 오후 꽃노을 볕이 바랜 커튼 주름을 타고 방 안으로 솟아나면 나는 사랑글을 쓰고 있었나……. 두드리던 활자가 젖혀진 고개 끝으로 달아난다.

한심한 종자의 뿌리를 들어 올리면 자화상이 있을 거외다.
세상덕이 없으니 탓이라도 해보자 하여 시작된 외면. 그게
편할 줄 알았다 써보는 변명에도 서리가 껴 다친다. 도피형
인간으로 낙인찍힌 쪼가리에 들숨을 쉬어 그날의 후회를 떠
올린다. 내가 얻은 건 무념이기에 이제야 답이 되리라고.

동의 없는 감정 호소가 이기적인 거라고는 생각을 못하는 건지. 울적하다는 말 하나를 생각해 내기 위해 나는 굴절된 하루를 반복해야만 하는데 당신은 슬픔을 말하기 쉬워 좋겠네. 나는 오늘 내 팔을 자를 뻔했다. 고작 우울한 이유를 몰라서. 그런데 내가 너를 안다는 이유만으로 동정이 필요하니.

내게 악의가 가득 올라 죽겠다 지랄을 또 지랄하다 아차 욕은 상스러워 추해짐에 이러는 거 아니다 괜한 사람까지 수용하려다 또 아차 싫고 나만 빼먹었구나 병신이 된다. 선생님이 한 말이 맞아 사람은 다 모자란 점이 있어 누구나 병신이 되는데 위아래나 양옆을 따질 수 있겠냐 그렇지?

마음의 품위를 어찌 지켜야 하나. 비루한 몸뚱이 담뱃재를 터는 손가락에도 휘청여 오늘은 바람이 거센 날이었다 변명을 읊고, 이르게 만개한 벚나무를 보려 고개를 올리다 그만 구름에 눈이 부셔 잠시 의식을 잃었다 화제를 돌리는. 괜찮기 위해 지탱하는 일련의 방황조차 무겁다.

죽을까 봐.

무념한 어투가 수화기 너머로 전해졌으리라.

격한 호흡이 돌아왔다. 너는 죽어 나가는 중인가 보다. 질척이는 푸념이 나인지 너인지 모르게, 엮이고 있는 게 너인지 나인지 헷갈리는 서로의 자멸을 위해 쾌감을 좇는 행위를 구축하고 있다.

환멸을 긋자면 세상이 먼저 외면할 일이었다.

가학의 의미를 압니까. 태아였던 시절부터 탯줄을 목에 감지 못한 무능력의 불상사로 인해 서명란에 기재된 탄생의 증거와 서로의 이름을 안다는 것만으로도 변태가 되는 것 말입니다.

태초부터 울고 있었어. 정자와 난자가 만난다거나 억 단위로 배분되는 꼬리치기로 잉태된 순간이 아닌 너희가 세상이라고 말하는 품에 안착한 강제성 말이야. 빛을 받아들이지 못하는 눈꺼풀로 호흡기를 느껴 저 아이는 곧 죽을 거고, 그렇다면 이미 태어나버린 훌쩍 자라나 버린 어른이 울겠지. 무엇이 진실인지 거짓인지 인지할 수 없어서 고백하지 못한 나의 거룩함은 이렇게 우는 게 되고 당신은 메마른 입술 주름을 일그러뜨리며 말할 거야 다행이라고. 물러진 생식기를 앞에 두고 나는 당신의 덕을 마셔버려 이렇게 없어지는 건데도.

또다시 목청을 높이다 태어난 부분을 정갈하게 자르며 확신한다. 더 이상 우리라고 할 수 없음을. 사람으로 태어나게 했으면 사람으로서의 의미를 가르쳤어야 했어. 지나친 분노와 슬픔과 그친 눈물과 당신과 만남과 나와의 이별을 준비하며 문득 태초부터 나는 울고 있었지, 쇳소리 같았던 당신의 안도를 믿어야 했을까. 아른거리는 조명들조차 동경이여야 했을까. 호흡하면 먼지 구덩이 속에 있는 것 같아 살려줘 제발 살려줘. 정자와 난자가 만난다거나 억 단위로 배분되는 꼬리치기로 유혹당해 잉태된 순간이 아닌 당신이 세상 밖으로 나오라고 다독였던 품에 끼여 나온.

살기 위해 거짓말을 했는데도 날 들어주지 못해 영광처럼 환원되는 떠받들기는 쉬운 게 되면서 만족감은 황폐해지고 무력감은 폭력이 된다. 나야 아프진 않지만 내가 날 잃어버린 모든 시간을 돌려받고 싶어 이제 좀 가르쳐 줘 하늘을 거스르고 땅을 밟은 채로 별똥별이 된 것만 같은 목숨의 뜻을.

향수병이다
옹졸하고 화려한 통에 담겨 피비린내가 난다

치장을 원했나
하루아침 호흡에 향을 먹여 재가 된다

지나가는 사람들이 보인다
그들은 나를 알지 못하나 제가 됩니다

스치듯 박힌 기억에 얇은 쇠를 끼워
도려내는 작업을 한다
모조리 고회라 땅부터 균열이 서 종말이라 부른다

그만 살게 해달라거나 죽고 싶다거나 근간이 모호한 발설은 배설에 가까워 중환자실 병상에서 깨어난 두 눈동자가 선명해지기 전에 시트 위 보금자리가 알아차리기 전에 느린 박자로 혈관을 침투하는 생명력을 뜯어내고 긴박한 입을 틀어막으며 복도를 생채기로 물들인다. 병문안인가요. 먹지도 못하는 과육을 들고 토끼 눈을 닮아가는 건 일 같은 거 이제 못합니다. 숨을 몰아쉬는 게 일이라서요. 모든 것과 곳엔 수순만이 흐를 뿐 사고에 즉흥이란 건 없었어. 붙잡는 살갗에 닿은 표피 덩어리와 솟아난 솜털에 기함해 혐오를 숨기지 못하고 혈류를 도려낼 수 없는 밤으로 인해 장례식도 멀리 두지 못했던 거죠.

창가를 바라보다 야윈 지난밤을 세워 체구를 들이민다. 내 팔을 봐 내 다리를 봐 내 목을 봐 내 배를 봐 내 종아릴 봐 내 발목을 봐 내 등을 봐 내 어깨를 봐 내 심장을 봐. 도화지가 되지 않았던가 질문에 질문을 거듭해 포용하기 복잡한 실의를 가져온다. 전조등에 막히는 게 유일해 심

박을 드러내지 말아요. 살아있단 증명은 굵직한 볼트로 박
은 자위질과 유사해 애먼 핏덩이만 낳는 거.

용서 없이 죽도록 미워하는 일은 손해라고 한다. 어디선가 주워본 문장엔 용서란 행위는 실질적으로 피해자에게 긍정을 주지 못한다고 했다. 너를 간접적으로 죽게 했으나 죄악감에 세월을 팔아 문드러진 나는 가해자가 맞는지 의문이 선다. 문드러진 내가 문드러진 네게 하는 우스갯소리로, 이제 와 너의 절망을 바랐기를. 차라리 나의 에고가 악덕이었음을 바란다.

당신의 절망을 바라는 나에게.

사라져야만 소중함이 간절해지는 사람이 있는 모양이라 어
제를 희생해 오늘 하루란 말이 성립하듯 목숨을 담보로 치
환한 목적 같은 날짜를 투명색으로 써넣곤 서성인다. 나는
침묵이 되고 당신은 묵념이 되는 안일하고도 계획적인 사이
를 하염없이 도출한다. 둘 다 기다림은 아닐 것이다.

죽기 전에는 심장의 수를 세어낼 수 있을까. 목덜미를 부여
잡지 않아도 연신 가녀린 사레를 뱉어내는 무리를 들먹이며
아프다고 나 아프다고요, 입천장을 훑어 이곳에 욕망은 진
작에 없었더라지 울컥하는 심정을 대변하는 것은 유일한 핏
줄기 그만 흐르네.

가엾어 차디찬 엉덩방아가, 온기를 가질 수 없는 욕실 모퉁
이가.

요즘은 죄다 줄을 끊고 귓가에 헤테로토피아를 꽂아 넣는
다. 그러면 눈이 감긴다. 곤두서는 것도 무던해 숨결이 이불
에 닿아 바스락거리고, 베갯잇에 머리카락들이 짓이겨져 성
을 낼 때 즈음— 오늘도 낯선 밤을 맞이한다. 쿰쿰한 냄새
를 맡으며 얼굴 바닥을 기어다니는 솜털의 도미노를 관람한
다. 객관성이라 쓰고 고유명사를 낮잡아 이르렀다고 말한다.

공기층 사이를 씹어대며 의식주를 감내하는 일

온통 긁어 부스럼이다.

이미 모든 건 끝났고 죽은 이름 하나 산 사람 목록에 잠시
쓰였다 가면 그만이네.

글줄이 올가미라도 되었습니까

―― 黑

죽음이 쉬워서 참고 있는 거예요. 하다못해 글줄로도 긋기
가 복잡하지 않아서 시뻘건 내장까지 팔아치울까 봐. 믿음
은 돌아서도 믿음일 터라 정녕이란 서두를 붙이면 겁謙도
없을 텐데. 흔해지는 게 좋나요.

오늘은 떨리는 손이 진정될까

　　　　　　　침묵으로 시작하는 분노가 가라앉을까

습관처럼 나오는 욕이

　　　　누군가를 겨냥하진 않으려나

　　　　　　　　일어나지도 않은 걱정이

망상의 시나리오가 되어

　　　　　　혼자 웃는 일이 되진 않을까

　　　감자를 토막 내는 무딘 칼이

내 뱃가죽보다 날카롭지는 않을까

침묵은 또 다른 언어폭력이다. 입을 다물면 반이라도 갈 줄 알았는데 시작점을 앞에 두고 엄지발가락 하나를 끼우니 미쳐 죽었다. 날뛰지도 못한 무력함이 스너프 필름이 되듯 강박처럼 긁은 피부의 자흔을 대신했다. 말해도 말을 하지 않아도 맞을 운명이었다. 맞을 운명이란 게 평범하던가.

[1] 제사를 지내는 절이 한 번을 넘을 때 병풍 너머에서 음식과 향을 맡으며 가만히 눈을 감고 있어. 촛대가 전부 녹아 사라질 때를 기다리며 연기를 벗 삼아 숨통을 그을린 지도 오래야.

[2] 병풍 뒤 숨죽인 사람이 있다고 했다. 큰절 한 번에 향에 그을린 숨이 불어 상에 초를 친다던 이승살이 아픔은 혼이 되지 못해서 썩은 음식 냄새에 깃든다고 하던

아버지, 어머니.
내가 모르는 살아있는 것들.
내 육신 가죽을 벗겨 먹어 치우던 종들.

바닷속에 몸을 담그면 가지 같은 팔들이 내 옷가지를 붙잡고 끌어당기는 감각이었다. 하루마다 죽겠다고 했던 네 걸음을 본떠 만든 색이라 온통 까맸다. 그런데도 닿지 않은 지문엔 누구의 진실이 붙어있었던가 나는 네가 되길 바랐다. 단 한 문장도 허투루 보내고 싶지 않았다. 이해한다는 입바른 거짓을 고하기보다 너를 씹어 삼키는 편이 낮지 않을까.

언제였나. 제 팔을 도축하듯 썰어 와 치료를 부탁했던 날. 나는 핏덩이 점선을 따라 그림을 그려주었고 우린 동화 같다고 했다. 전부 거슬러 올라가면 잔혹성이 돋보이는 그 외면 순수함에 스며들어 아무것도 모른 채 살아가자는 다짐을 했다. 육신의 버릇은 남겨 두고 오만한 정을 베푼 때였다.

너와 나는 묵언의 동의를 참 많이 했던 것 같다. 고갯짓도 사치인 날이 잦았고 담이 걸려 행동을 통제할 수 없는 것처럼, 목석처럼 버티는 날도 많았다.

내가 죽으면 말이야. (내가 죽으면 말이야) 너는 딱 하루
만 더 살아. 유일은 지켜야만 하기에 두드러지는 게 아닐까.
(나는 너의 분신이 되고 싶다) 홀로 남은 하루를 사고로 위
장한다. 처음부터 의도하지 않은 자멸은 없었다.

네가 죽으면 말이야. (내가 죽으면 말이야) 명백한 가해
자가 되자. 세상을 공전하듯, 눈이 돌아 먼 곳을 택했다는
듯이. 우린 한 톨의 피해도 없이 청렴했던 거야. 눈물은 흐
르지 않았다. 핏줄기를 제어할 수 없었던 때처럼 길고 긴
입맞춤을 했다. 종말을 선언한 교주의 산하에서 곧 믿음에
발등 찍힐 신자같이 굴었다. 후련했다. 세상이 꺼진다 해도
우리는 발광이었을 테니.

목적지가 있는 조의의 꽃다발이 부러운 적은 처음이었다. 뼛가루 한 번 스치지도 못하고 끝난 장례의 마지막 날까지 나는 너무 어렸으니 원망할 대상도 없고 정처 없이 걷는 게 너를 위한 답인가 헷갈리기만 해.

겨울이다.
탄생과 개인의 멸종이 병존하는 바람에 죽음에 물든 낮.

인생이 심장에 해롭다. 픽 죽어버릴 것 같은 쫄깃함이면서 퍽 단단해지길 반복한다. 어쩌다 떨어뜨린 과자 봉투의 잔해 같은, 아차 싶은 순간이 언제쯤 전신前身을 멈추고 닿으러 올까. 고개를 젖힐 때마다 몰리는 혈관과 신경의 감각이 교수형의 체험과 같아진다. 뻐근한 수 세기다.

나를 건져낼 때는 이미 헤진 빨래건조대를 준비해 줘. 바람
에 말려지다 그만 쓰러지고 다시 더럽혀질 테니까. 그러다
지우지 못한 얼룩이 상처가 돼서 쓰레기봉투에 담겨 버려지
면 성공한 삶인 거지.

안달이 났다. 나를 버리지 못해 떠난다는 전가의 말로, 피범
벅보다 보이지 않는 상처가 더 편한 법이지 안 그래. 생색
을 낸다. 이번엔 유배 보낸 부도덕을 강조하며 추억이랍시
고 상기를 시킨다. 관계가 능동적이었다고 끝에 권한이 주
어지던가. 자격 불충분을 논해도 전부 화를 입히고 화만을
빼낸다.

누가 짐승으로 전락해요. 너도나도 짐승 새끼 하나 돼보자고 돈을 쥐다가 연거푸 술을 들이켜서 의식을 잃어요 라니 깨우는 거지. 온전해지지 못하는 날 끌고 아스팔트 흙길 구분 없이 다니더니 잘 알지도 못하는 잡지에서 봤다고 데카당스를 흐리곤 예술이라뇨 이건 병이야.

금붕어가 운다

금붕어가 운다
물결의 흐름이 어항의 균열인 듯 울어 젖히고 있다
먹이의 풍부함이 소년의 물음을 돋운다

엄마 엄마
금붕어가 먹이를 먹지 않아요
어쩌면 좋죠
어젯밤 갈아주었던 물이 잘못일까요

엄마 엄마
금붕어가 춤을 춰요
어쩌면 좋아요
모른 척해도 될까요

날이 좋으면 네가 생각나고 날이 흐리면 나밖에 모르는데 나는 왜 너의 손을 잡고 빗길을 걸으려 했을까. 우산 두 개가 겹치지 않는 공간에 늘어뜨린 팔을 겹쳐 젖어가는 걸음 몇 발짝 만에 정리되는 감정이란 게 헤어질까도 아닌 그만 사랑할까의 물음이란…….

우리 사랑은 먹구름 위의 별이랬잖아.

숙취에 새벽을 앓았을 때도 품에 있는 네가 깰까 작은 조명 줄기 사이로 눈을 깜박이는 게 다였다. 깜박임의 횟수가 잦아지면 아픔의 강도가 커진 거였고 시간이 흐른 거였다. 우울한 네게 우울한 내가. 우리는 사랑을 서슴없이 뱉어내었지만 미안하단 말을 할 줄 모르는 사람이었고 미사여구로 애정을 다양하게 표현할 줄 알았지만 괜찮단 말까지 꾸며내었다.

노도를 맞는 둘이다. 눈을 감고 뜨고 입을 맞추고 열이 오르는 밤이 몇 번의 아침을 보게 해도 아픈 몸뚱이 두 개를 서로가 모르는 체하며 지냈다. 안부를 묻는 때가 미뤄졌고 별거 아닌 일에 고맙다 배려하는 게 잦아졌다. 사랑이 안전선을 넘어가 눈앞에서 사라진다. 헤엄치면 잡을 수 있었을까. 수심이 깊다는 건 핑계였을 지도 모른다. 조금만 더 간절했더라면 후회가 진즉에 있었더라면 처음부터 놓지 않았을 시선. 결말은 뻔했다. 서로가 서로의 아픔을 견디지 못해 이별도 미화되었다. 축복을 바란단 말끝으로 여전히 고마웠고 그제야 미안했다. 사랑이 죄라 이별로 풀려났다. 우리는 각자의 방식으로 사랑을 취하한다.

우린 아프다는 말에도 지쳐가겠지. 저 바다 위를 건너지 못하는 유영으로 그냥 산들바람이나 맞고 싶다. 숨이 턱 끝까지 차오르면 동경한 블랙홀의 심정을 빗대어 화자가 되리라고.

잠수부의 모방을 한다.

오늘도 사랑스러운 별자리가 몸에 박혀 살아.

열이 올라 전부 어색하게 수치스러운 거.

부추긴 적 없다. 당신의 죽음과 무관해 돌출된 발가락 끝에서 멀리 땅이 꺼질 듯한 눈매로 화단을 야리며 굉음이 들리길 갈망한다. 뒤이어 소음이 다가와 사람들이란 말보단 구경꾼이란 단어가 더 알맞지 않을까요. 저마다의 필력으로 타살과 자살에 대한 교집합을 쓰고 있을 거야. 부추긴 적이 없어서.

우리 바다 보러 갈까. 무슨 마음이든 간에 죽을 각오와 닮아 보이는 거. 능선으로 띄워 보내면 사색과 침묵이 동행하더라도 결핍을 느낄 수 없을 것 같으니까. 그럼 희熙행이 이름 자와 닮아 보일 때쯤 파인 발자국을 보고 괜찮다 말하겠지.

딱히요. 전 눈앞에서 당신이 즉사한다고 해도 달라질 게 없는 사람이잖아요. 걱정이란 소재가 어디 있던가요. 돌고 돌아서 살아달라고 하는 중인데 그만 멈춰버리길 제가 원하고 있어요. 그러니까 저를 아는 만큼 행복하세요.

왜 자꾸 살아요.
숨이 저울에 올라가 공평한 척을 한다면서요.

初春

봄은 끝의 시작이란 말이 알맞겠다. 건조한 땅은 가라앉고 산은 불타오르고 다 녹지 못한 채 깨져버린 마음은 피투성이가 된 채 길가에 놓이니 죽음에 피어날 꽃이 무더기로다. 매화가 휘날리면 그리운 자가 깨어나는 것도 이 탓일까. 봄은 시작과 함께 독나는구나.

春

만개와는 다르게 흐드러진 꽃잎은 스러지기 일쑤여서, 첨삭해도 피어날 듯 휘갈긴 누군가의 탄생과 시작을 빌어주기엔 나의 봄은 언제나 고별이 생색을 내는 전부 죽은 이들의 해였고 무릎 위로 쌓인 눈더미보다 지르밟을 수밖에 없는 꽃잎의 계절이 무고하게 아팠음을.

晚霜

단 한 번도 벚꽃잎이 온전히 떨어진 적이 없었다. 용기나

갈망이 아니었을 때도 무심히 지고만 마는. 나의 굴곡에서
가벼운 가지치기는 언제나 겨울이었고 영광이란 이름을 새
겼을 적에도 메마른 탄생을 겪었다. 봄은 늘 세상에 병립했
던 자들이 지워지는 해였음을.

흑연 밑으로 기어가는 사체가 되어 글을 씁니다. 유골함에
는 들꽃 한 송이만 따다 넣어주셔요, 무엇을 배당하여야 하
냐고 물으셨죠. 나는 가진 것이 없어 쓸 궁리만 하였으니
그 잘난 돈맛이나 스며들게 뿌리고 가셔요, 그렇게만 하면
모든 게 답으로 굴러간다고 하더랍니다.

사람의 몸에도 녹이 슨다고 하였다. 감상에 젖어버린 빗방울이 구정물이 되는 것도 일순간……. 그리움을 녹여 그리던 자는 어느 생牲의 사내였나. 고른 밤을 걸어도 절뚝거리는 다리는 병명이 없더라.

맥락 없는 감정이 폭력의 형태로 치환될 때마다 이게 아닌데 이러고 싶은 게 아닌데. 하고 종국에 맞이하는 무력감이란……

물가를 멀리했다. 겨울철이나 여름철이나 시시콜콜한 감성들이 떠밀려 오는 것에 구경꾼 하나 되지 못해서. 하루가 노도였다. 그럴듯한 일상에 그럴만한 관계까지 고개를 숙일 필요 없는 순서를 바닥에 꼬라박고 앞굽으로 정처를 지웠다. 사색이 필요하다고 했던가. 제 홀로 하는 선생질에 하루하루가 된다.

¹ 혼잣말의 형태가 무의식에 가까워질 때 꽉 잡은 펜촉이 오탈자를 만들지 않도록 보고 싶다 보고 싶다 써보니 편지지 낱장의 빼곡한 날림체. 나는 나를 위해 처음으로 너의 사랑글을 쓴다.

² 잊어낼 거란 기만 같은 자신을 하고 발악하는 좌절의 끝 음절마저 사랑했나 보다. 낭만을 설파하는 기막힌 사이비가 되어 시편을 썼으면 돈이라도 세웠을 텐데, 한 사람이 한 사람을 망치는 일이 참으로 쉽다. 거짓부렁으로 나는 오늘도 글을 쓴다. 너를 향한 나의, 속절 속편을.

이상을 아는 생각과 반대로 흘러간다는 걸 알고 있었다. 걱정하게 하고 불안을 야기하고 내 힘든 얘기를 네게 함부로 꺼내기가 어렵고 선호하지 않는다고 말하면서도 종종 이용되는 채팅창의 무념해진 말투는 거꾸로 뒤집어 보아도 현실이란 자체가 문제나 일에 가까워 이상이 생겼다는 걸 내포했다.

네가 준 사랑만큼만 잊으려 한다. 서로가 서로를 위해 선을 지켰던 게 이제 와 소용 있다고 친다면 흐드러지게 웃었으려나. 이별이 달가워 보인다. 서서히 지워지고 또 짙어지고, 기약했던 날짜가 공중분해 된 것까지 추억으로 보여 찰나를 까먹는다. 사랑엔 온통 틈새뿐이다.

빗물에 내 오물을 씻으면 울음이 들리지 않을 거라 믿었다. 눈물은 더없이 뜨거워서 빗방울을 털어낼 넋으로 두 손을 올려 얼굴을 감싸고 고개를 숙이는 것이 답 같았다. 이른 소신을 둔 까닭일까. 세상의 끝도 별거 아닐 거란 생각이 들었다.

인생이 강박적이에요.

죽음과 가깝게 지내든 말든

투신을 하는 면상이 지나쳐도

이 세상은 여전히 아름다울 거잖아요.

청춘은 정신 착란을 일으키고
모조리 막을 내렸습니다
―― 白

사는 게 중독이다. 어디에든 취하지 않으면 제정신이 무엇이었던가 정의나 개념이나 바탕도 모호한 세상을 위해 한목숨을 바쳐야 하는 것처럼 굴어야…. 끄적이던 문장 속을 발췌한다. "살아남은 인간들만 인류 취급을 받겠죠!" 생존이 본능에서 멀어지는 세상에서 잘도 운이 좋다고 한다.

겨울이 오면 간지러웠던 여름날이 떠올라 뙤약볕에 지져져도 놓지 않았던 깍지가 애타서 입김 하나에 처연해지는 감성이란 울먹임으로 고백하지 못한 날의 숫자도 입에 올려봐. 여전히 넌 이쁘더라. 흐려지는 눈동자가 내 삶 구실은 못해도.

보고 싶다. 추억으로 포장된 청춘과 창가로 드리운 산바람도. 한 손으로 지탱한 책 표지와 점심시간 종이 울려도 쥐고 있었던 손바닥의 땀도 그리워. 미숙한 사랑 소리에 열병을 심하게 앓아 계단 다섯 걸음에 울었던 나라서 더 그래. 사랑해. 그때 쉽게 뱉지 못했던 진심이야. 널 앞에 두고 누굴 좋아한다 말하겠니. 전부 널 향한 소리였고 널 위한 입막음이었지. 사랑했어. 다시 돌아간다고 해도 변하지 않을, 네 행복을 묵묵히 견뎌줄 사람. 네 마지막 편지를 끝으로 멀어지는 욕심에 가까이 갔던 나를 잊을게. 아프다는 핑계를 두고 답장도 하지 못했던 어린 나를 용서해 줘.

가련한 추억에 눈물을 흘리지 아니하는 것은
젖어 흩어질까 하는 두려움 탓이고

눈물 위에 추억을 흩뿌리지 않는 것은
녹아 사라질까 하는 염려 때문이다

사고의 방향이 잘못됐다 죗값아. 용도를 알 때만 신의 이름을 부르짖었던 무신론자의 변명이 고까웠다면 살려달라는 음성이 아닌 천성을 살폈어야 했어. 시신 다발 위로 착란의 향을 풍기는 믿음으로부터 종결의 역을 본다. 이제 제 차례 禮입니까. 기대가 표상된다.

보고 싶다는 단정한 생각 하나 때문에 당신의 감정이 무너지길 바라는 것도 로맨틱한 낭만에 포함되니. 영화 같은 사랑의 결말은 결국 엔딩 크레디트가 올라가면 더 만나고 싶어도 끝이 난다는 거야.

영아, 안다는 게 뭘까. 네 이름이 별과 그림자를 함께 써 영이 된다는 거? 아니면 숫자 영과 닮아 사라질 것과 어쩔 수 없는 것과 이미 메울 수 없어져 버린 것에 대한 것? 나는 종종 슬픔을 갈망한다. 성장기를 겪고 자라나 다신 범죄자가 되지 않겠다는 열 손가락의 지문을 남긴 채 이 육신을 가지고 세상에 덤벼 또다시 남기는 손때에 기약이란 알고도 모른 척을 하는 걸까. 몰랐던 걸 알아버린 뒤 성숙을 붙이는 걸까. 하고 생각하곤 해. 이런 구절을 보았어. 말라죽은 나무에도 꽃은 핀다고. 이건 생화일까. 사랑일까. 오아시스 속의 사막이라면 폭포수 같을 텐데 욕심 없는 사람이 다녀온단 길을 나섰더라면 아무래도 축복은 아닐 거야. 그는 사막을 원했기에 행군에 나선 신발 밑창 전부가 쓸모없는 경우에 닿더라도 영원한 목마름을 기원했을 테니. 이게 목적이라는 거잖아. 근데 지도의 페이지를 본 독자가 이렇게 말하는 거야. 이곳은 길이 아니야. 하고. 그러더니 모래알 감촉을 실감하고 있는 그의 모자 끈을 잡아 폭포수 앞으로 데려

놓은 거지. 영원해지고자 한 목적을 기억하니. 우린 사막을 찾아야 하는데 대뜸 우리를 사랑하고자 한 불청객에 의해 상실을 깨닫고 만다.

영아, 하루가 세월이 될 수 있을까. 세상엔 흐르는 것이 너무 많고 나는 주워 담을 시간이 턱없이 부족해. 아기자기 하게 만든 바구니에 이것저것 담아내다 내가 쏟지 않았음에 도 불구하고 놓아줘야만 한다며 풀리는 손아귀가 야속해. 왜 슬픔만으로 눈물은 흐르지 않는 건지. 왜 눈물은 해방이 될 수 없는 건지. 이 모든 걸 안다고 자부함에도 절망은 때 를 찾지 못해 웃음꽃이 만연한 삶의 개화 시기에 나타나 훼 방을 놓는 건지. 영아, 세월이 하루가 될 수 없을까. 나이를 먹는다는 건 알아. 받아들여야 하는 결과고 믿음이 없어도 서성이고야 마는 청춘이잖니. 그렇기에 나는 하루와 세월이 같았으면 좋겠다. 365일이 1년이 되는 게 아니라 1년이 365일이 되는, 내림차순으로 떨어지는 시간을 받아먹고 하 루, 반나절, 1시간, 1초, 그렇게 영
영
원한다는 건 늙고 지쳐도 똑같고 죽어도 같은데 어째서 파릇한 시기는 모조리 진다고들 하는지.

나는 여전히 앞날이 많아. 이곳에 오면 그리워 쫓은 그림

자 흉내도 필요 없더라. 내가 가진 게 볼품없어도 봐주고
별이 드리우는 날에는 침묵도 동요가 되어 싱그럽더라.

[1] 그러려니 산다. 자잘한 일에 화를 올리는 게 당신들을 위한 것이겠나 치졸함을 숨긴 내 득을 위함이지. 실질적으로 달라지는 게 없음을 앎에도 그렇다. 한 해를 거듭할수록 깨달음이 늘어도 까막눈을 자처해 등이 굽은 또 다른 어린 시절을 겪고

[2] 트라우마를 부풀려 감쌌더니 추억이라 하더라. 오랜 기간 나는 너무나도 많은 생애를 용서하려 했고 관용적인 인간이 되고자 했으나 인지의 폭마저 내 잘못이 되니 추억의 철자 또한 오해한 모양이다.

폭설이 공중분해가 되어도 비가 되진 않을 텐데 투명한 막이 쌓여갈수록 자멸은 더러운 게 되어간다. 건조해 입김이 얼어붙을 소나기를 원해 회고의 짜깁기는 누군가가 수탈한 듯하고 하루아침 노곤한 햇살의 깜박임도 과로란다. 나는 그렇게 고꾸라진다.

침묵이 묵념에 가까워질 때면 애도를 하다가도 누구의 묘였던가 나를 잃었으면 해. 살아. 죽어도 나쁘진 않지만 살겠단 수긍을 할 거면 잘 살아. 나는 늘 별을 따다 주려고 했고 너희들은 공기와 친분을 쌓았던 것이니 새벽이 오면 누구의 별자리와 상관없이 쪼아먹는 눈이 먼 까마귀가 되었다 하자.

침체하는 날이면 그는 바다를 다녀오겠다고 한 뒤 온몸이 물에 젖은 채로 돌아오곤 했다. 어느 날엔 다녀오겠다는 말끝을 황급히 붙잡아 같이 가기도 했으나 동의 없는 동행을 한 탓인지 파도는 성급히 다가오는 것 같았고 나는 그게 두려웠다. 그는 그런 나를 방치한 채 유유히 모래사장과 바다의 경계 위로 걸어갔고 곧 침수될 빨랫감처럼 눈을 감은 채 바람에 몸을 맡겼다. 한 걸음 한 걸음 움푹 빠지지 않는 모래 위로 발바닥이 자기주장을 하지 못할 때까지 걸어가는 모습을 보며 저러다 죽는 게 아닐까 생각했지만 샤워장이 있음에도 다녀왔단 티를 낸 그간의 매무새에 저렇게 죽고 싶은 것임을 깨달았다.

외출을 하는 일이 잦아졌다. 그는 늦게까지 일을 하고 돌아온 날에도, 계절이 지나 눈이 내리는 날에도 매일 바다에 다녀오겠다고 했다. 내가 집에 없는 날이면 문자를 남겼고 말을 건넬 수 없는 상황이 오면 쪽지를 남기고 가기도 했다. 건조한 밤에 우리는 두 번째 동행을 했다. 다시금 나를 두고 성큼성큼 모래를 차며 뛰어드는 그를 뒤따라 신발도 내팽개치고 따라나섰다. 하지만 경계 이상은 갈 수 없었다. 함께 가잔 말이라도 해주었으면 좋았을 텐데. 라는 궁핍한 발상을 하다 그럴 사람이 아니라는 걸 잊은 나를 자책했다. 가슴팍까지 올라온 깊이에서 그는 나를 돌아봤다. 그리고 다시 가늠할 수 없는 물길로 공허감을 옮겼다. 집에 돌아와선 함께 샤워를 했다. 내가 젖은 건 고작 발목까지였지만 따뜻한 욕조에 담근 체구 두 개의 몫은 잠시나마 평안했기에 그에게 씻겨주겠다고 말했다.

그가 바다를 가겠다는 메시지를 보냈다. 읽음 표시만 전달한 나는 이어 휴대전화을 덮었다. 몇 분 후 같이 가겠냐는 물음표와 함께 알림이 울렸다. 나는 화면을 눌러 읽지도 않고 입고 있던 옷 그대로 널브러진 슬리퍼를 신고 뛰쳐나갔다. 항상 가던 바다에 도착하자 그는 모래사장 위에 우두커니 서 있었다. 그를 발견하고 모래 위를 뜀박질하는 바람에 슬리퍼 한 짝이 뜯겼다. 그제야 제 짝이 아닌 것을 신고 왔다는 걸 알았지만 무시하고 다시 뜀박질을 이었다. 그러다 결국 발아래로 모래와 피가 섞여 심해지는 통증으로 멈출 수밖에 없었다. 하지만 이번만은 그에게 가야 했기에 인상을 한껏 쓰고 조각을 빼낸 뒤 천천히 그의 등에 닿았다. 그는 밀려나듯 바다에 빠졌고 한참 동안 걸어 울대를 치는 물살에 호흡을 내주었다. 그는 그러한 모습을 가만히 바라보고만 있는 먼발치의 나에게 고함을 지르는 것처럼 큰 소리로 말을 걸었다. 들어오라는 신호였으나 지금 바다에 들어가면 찢긴 상처 속으로 온갖 불순물들이 들어올 게 뻔했기에 싫다고 했다. 무서운 게 아니었다. 단지 싫었다. 그는 나의 마음을 들었는지 못 들었는지 모르게 웅크리고 있는 날 응시하다 물속으로 들어갔다. 잔뜩 낀 구름 사이로 태양이 죽일 듯이 노려보았고 나는 눈이 부셔 그를 놓쳤다. 파도 한 점도 그릴 수가 없는 날로 사람이 죽으면 어떻게든 알 수 있다던, 산 사람은 시끄럽다 토론하던 작은방 안의 장이 떠올랐다.

그는 파도보다 소란스럽게 바다보다 고요하게 떠났다. 집으로 돌아오는 길엔 구름이 전부 걷히고 햇볕만이 길을 감쌌다. 아스팔트 위로 피를 묻히고 걷는 나를 둔 요란한 눈길을 받아내며 잘못 신고 온 그의 슬리퍼 한 짝의 헤진 밑창을 한 손에 쥐고 침체를 이해했다. 마른 몸 위로 정수리부터 발톱까지 빗줄기에 젖어있는 기분이었다. 이해하고, 이해하며 집 앞까지 도착하니 물소리가 들렸다. 현관문을 급박하게 열고서 나는 바다에 가지 못한다는 것을 깨달았다.

폭력적인 행태에 바닥을 기던 나였는데 그 밑창을 쥐어뜯고 악을 쓰며 올라와 내가 증오하는 사람과 똑같다는 소리를 들을 때마다 뇌를 쥐어뜯는 손이 남아나질 않아. 감정이 무엇이냐는 물음을 반복적이게 계산하며 숨을 고르지만 사실 아무것도 남지 않은 게 아니란 걸 아니까.

미안해.

욕을 지껄이며 죽으라고 했던 건 고층 창문 밑바닥을 동경했던 나를 향한 소리였어. 네가 무슨 잘못이 있어. 내가 무슨 잘못을 했어. 같은 배에서 태어났다는 연줄이 나를 미치게 했을 뿐. 네 미래가 내 머릿속과 닮을까 봐 두려웠을 뿐.

미안해. 널 지켜주지 못해서.

안녕이란 말이 슬퍼진다. 네게 인사를 건네고 혼자 울컥할 때면 슬픈 감정을 헤아리기 위해 손을 건네다가 또 서러워 져. 나는 언제까지 막이 내린 커튼을 쥐고 있을까. 이젠 손에 맺힌 땀방울처럼 닦아내면 그만인 울음이 그리워. 이별이 뭐라고 안녕이란 말을 못 해.

불행을 쌓아 올라서고 그 속에 파묻히길 반복하니 시작점을 부러워하게 될 줄은 몰랐다. 원인 없는 결과는 없다지만 결과 없이 진행되는 과정에 나는 어느 원인을 찾아 헤매야만 하나. 나의 내일이, 너의 내일이 되길 원하는 마음이 어느 신의 미움을 받았기에 이리도 우연찮게 사라지질 않을까.

잘 지내란 말이 좋았다. 그의 무운을 바라는 마음이면서도 헤어짐과 동시에 일어나는 모든 상황과 기분에 무책임해질 태도 같아서. 그래서 나도 잘 지내겠다고 했다. 그런 나라서 내게 신경을 앓을 널 버린다. 이별은 덜 아프니까 하늘에게 빌어 다신 사랑을 하지 않겠다고 했다.

형편이 아니꼬워 눈물 젖은 클래식 빵을 씹어먹으며 하룻밤
만 재워달란 네 온기가 이제 와 있었던가 기억도 험악해진
다. 잘살고 있니. 세상에 편리성이 과도해져 기기 속에선 여
름에도 눈이 와 서로가 전하는 절경이 달라서 엇나가는 건
비단 말 한 소절뿐만이 아니었나 봐.

우울에도 눈이 있어서 밤잠을 설칠 때나 낮잠도 물론이겠거니. 파도에 **휩쓸리는** 듯한 공기압이 숨을 죽여 슬프게 해. 고래등을 타고 올라오는 토악질이 허투루 돌아가는 초 단위여도 아팠다고. 꿈과 천국을 접목해 당치도 않는 총구를 목젖에 쑤셔 넣었다고 해야 믿어줄까. 그렇게나 내가 의심되니.

[1] 사랑을 건네는 것만큼 쉬운 일이 어디에 있나. 잠시 숨을 멈추고 홀린 듯 감은 눈꺼풀에 단념을 새기기만 하면 누군가는 웃는다는데 그게 어려운 마음인가 속절없이 지친 것뿐이지.

[2] 사랑 자체도 상처가 될 것 같아서 다시금 전으로 돌아간다. 선택에 대해 후회하지 않는다는 단단함이 없었던 때로, 죄악감이 업으로 연명하였을 시절로 발이 꺾인다. 그럼에도 나를 사랑한단 표현이 적절한 게 맞니. 언어의 한계가 아니었을까. 애정이 숭고해 겁을 먹었다 쓰는 편이 나을지도 몰라.

꽉 쥐어버린 애정 비탈길의 소유욕 그리고 망각 또는 망상 그만해야 해 다짐했던 건 그걸 권유했던 건 네 이름이 서성인다 환청이라 확신할 때가 더 나았던 것 같아 내가 나랑 달라도 진정 중이야 세간에서 쓰이는 표현을 가져다가 특출나지 않게 살아보려고 하루여도 충분해 만나야겠어 결말을 두둔했던 감정을 지우기 위해 병원이 시급한 내 육체를 정신으로 이고 또 길을 찾아야지 내가 말한 날짜였으면 해 나 편하자고 하는 소리다 이거 전부 다 지금까지 부족한 조각을 자진했잖아 이젠 그였으면 됐다고 타협하고 있어 유치한 말장난과 동심을 강물 위에 띄우고 파도를 흉내 내라 하고 싶다

넌 뭐 할래
난 지켜볼래
넌 누구할래
난 눈 감을게

넌 어디 갈래
난 잠들 거야

[1] 그 아이는 가을에 청량함이 있다고 했다. 우산에 드러난 구멍 사이로 먹구름을 보는 일이 위안이었던 나에게는 어울리지 않는 말이었으나 애정을 두고 간다는 게 구름을 동경하는 어느 날의 고갯짓과 가까워서 숨이 먹먹할 때나 뱉어질 때나 하염없이 맑아 보이는 거라고 답했다.

[2] 죽고자 하는 것과 살고자 하는 것에 대체 무슨 소용이 붙던가. 무의식조차 빈 수레가 되어버린 상념에 너를 소설이라 분류하고 화자를 짚을 것이라 변명한다. 배수가 되는 페이지 낱장들을 움켜쥐어도 죽는다는 결말 속에서 너는 죽는 사람으로 태어나 사랑할 수밖에 없는 이유를 가졌음을 깨닫는다.

슬퍼하지 마.

일상을 지내다가 어처구니없이 쓰러지게 되면

그제야 내가 슬퍼했구나. 하는 게 슬픔인 거니까.

가만히 누워있는 밤에 내가 혼자가 되면 필연적으로 죽겠구나. 하고 생각했다. 나의 죽음이 생에 끈덕진 것은 내 몸 껍질이 살아있기 때문이 아니라 주변의 몸뚱이가 더 살만하다는 이유 때문이라고 보았다. 숨도 역류를 해서 고여있는 침샘에 눈물 맛이 나듯 아픔과 고독과 생사는 다 같은 말이었다.

그럴 마음은 없었는데 내가 상주를 해야겠어. 가족도 타인이란 내 말에 반박하는 모든 어절을 씹어 삼켜 핏줄을 탓할 일도 적어야지. 우리 둘 다 어리석은 사람인 것을 제외하곤 닮은 게 없으니 타인보다 못하다고 비교하는 자체가 눈물겹지 않냐고 퇴색된 자를 누가 좋아하겠소. 그래, 나 말이오. 이름도 명분도 먹에 칠해진 길목과 같아 선뜻 지칭할 수도 없는 노릇이라 사모하는 걸음도 바람에 얹혀 가고 내 명줄은 겨울날을 이기지 못한 가지 하나에 부러져 운이 따다 가겠구려.

……숨이 차네. 몸은 홀가분한데 마음이 그러지 못해서.

벽을 세워 절을 해야겠다. 무릎이 닳고 이마가 으깨지도록 행운을 빌어야겠다. 간절함이면 다 된다더라 허망한 긍정론을 가져다 붙여도 희망찬 시대와 맞아떨어진다고 하니 그런가 보다. 달이 떨어지면 궤에 담아놓고 꼭꼭 숨기자. 내 불운이 시기를 할까 겁이 나니 아침 녹이 스러도 고이.

기도는 손바닥을 말씀하시는 건가요. 목덜미를 잡아채는 곳을 가리키나요. 흰 셔츠에 체액과 핏물을 강조해도 이젠 향기롭지 못한 것 같은데 모든 일이 순서를 밟고 긍정의 효력을 품을 수 있을까요.

"엄마, 사랑이 뭐예요? 숨이 도드라지면 핏줄을 원망할 줄 알았어요. 이렇게 가는 게 아니라."

엄마에게 말했다. 한계가 찾아왔다고. 지난날이 이미 한계라 그것을 뛰어넘은 채 간간이 버티고 있는 줄 알았는데 그게 아니라 지금이 한계란 말을 뱉어냈다. 그만하자고 말했다. 그만두자고 했다. 나는 나를 포기했으니, 엄마만 행복하면 된다는 소리였다.

부러운가 봐. 죄책감은 이제 알고 싶지도 않고 여름 무덤의
무성한 잡초를 쥐고 온기를 느꼈다 말하는 게 고작일 테니
누구의 탄생을 영광이라 부르기엔 우리의 겨울은 화상에 가
까웠다 그렇지. 그리워 눈물이 맺힌 건 내가 약해진 탓이
아니야. 돌고 있는 사계를 알아서 그래. 단지 그뿐일 거야.

계절이란 낭만도 없고 그냥을 반복하다 그냥 서로를 잊어버렸으면 좋겠다. 우린 운명마저 계획적인 손바닥 위에 두고 놀아났던 거지. 추억도 사랑에 덧붙일 수 없고 자격지심으로 뭉쳐버린 최악의 두 조연일 뿐. 다시금 그리워한다. 란 문장을 쓰기도 전에 나는 끝을 예고했던 것 같다.

그저 당신이 보고 싶다는 말 하나를 두고 국화를 쥐어도 사고 현장과 무덤을 찾아가지 못하는 비통을 누구의 묵념으로 강행해야 자리 잡을 수 있을지. 그리움보다 죄책감이 우선되는 이유에는 이 탓도 있겠다. 지켜주지 못한 것은 삶이 아니라 죽음으로, 애도에도 피눈물이 난다.

온통 사랑 범벅이 되어서 사리 분별도 못하게 되면 그땐 나를 잊었으면 좋겠다. 세상에 태어나 사랑을 한다는 게 너무나도 당연해서 당신은 상실마저 몰랐던 거라고.

그러니 네 트라우마를 내게 덮어씌워도 돼.
난 의연할 테고, 너는 편해질 테니.

밤낮이 바뀌어도 시간은 통할 거란 말. 나는 주황빛이 드리운 방 안 침대 아래에 쭈그려 앉아 널 망각이라 쓰기 위해 노력 중이고, 넌 택시 차창 안에서 푸르기만 한 바깥을 바라보며 추억은 왜 이별과 동행하는지 이해해 보려 하겠지. 우린 앉아있단 서술도 맞닿았는데 왜 스스로는 정제될 수 없을까.

쉬운 말. 쉬운 말……:

모르겠다. 머릿속에서 엉킨 질문들이 모조리 탁해 차마 입을 뗄 수가 없었어. 널 위한단 명목으로 나를 보호하고 싶었나 보다 한심하게. 이제 다시 널 찾지도 못하는데 여전한 목소리, 여전한 통화음, 여전하진 않은 술병. 편의점에 들렀다가 홀로 병나발을 맞이할까 생각하다 말았어. 실실 웃어대며 머리통에 유리를 부서도 좋았는데 그건 내가 미치고 싶었기 때문이 아니라서 지금은 끽해야 죽기밖에 더 하겠냐 싶은 거지. 잘 살아. 정말 잘 살아. 내 인생을 통틀어 만난 사람 중 너만큼은 진심으로 살기 바라는데 그 소리를 너한테 듣다니 대체 왜 너는 나 같은 걸 좋아했어.

실은 그 무엇도 의미가 없다. 죽겠단 의지를 불태우지도 않는다. 우울함에 쉽게 잠식되지도 않는다. 오가는 비현실에 신경을 쓰지도 않고 사람을 외면하는 건 쉬운 일이 되었다. 나는 내가 숨을 거두었는지도 모르고 저승에서야 죽겠다 설치고 자비를 깨닫겠지. 명이 끊겼으니 됐다. 나의 용서란 이렇다.

나 곧 떠나요 형. 말을 글로 풀어낸다고 해서 편지 형식이 되는 것도 아니고 단순한 무을의 반복이라고 해서 유언장이 되는 것도 아네요. 나는 형한테 바라는 거 없어. 폐기를 진작 폐기한 기분을 알아요? 남은 사람은 내가 관여할 게 아니더라고. 형도 나 같은 거 알아내려고 한 적 없잖아요.

힘들어하는 나를 볼 때마다 다독일 수 있었다면

—— 白

외면하는 것들이 점점 늘어난다
나이가 들수록 세상의 이치나 지혜를 깨닫고
터득하기는 무슨
심도 깊은 겁쟁이가 되어간다

충동이 일어난다
타인과 연결된 모든 걸 해방하단 엇나간 논리를
뒤집어씌운 혐오의 위선
버리고
태우고
결국 눈앞에서 모조리 치워버리고 싶은 악몽 같은 행위
기억을 지우고 싶을 땐 죽으려고?
상이 맺히는 걸 보다 눈물이 흐른다
슬픔도 모르고 운다

영원한 돛대라는 말이 맴돈다. 심장에 돛대를 지지고 수없이 아파하려는. 재가 되었는데도 타오르는. 살아있다고 심장이 막 뛰진 않는가 봐요. 네가 던진 칼이었으나 내가 너무 펄떡였나 보다. 목덜미에 박힌 채 잘도 피워댔다.

가로등 불빛 아래에 가만히 있자 하루살이 소리가 다른 날 벌레에 묻혀도 같은 침대가 되니까 비웃는 것도 잠잠해지겠지. 주황색으로 물들면 같잖은 시간대의 노을이 아니겠어. 잡초 사이에 장미도 피었어. 어울리지 않아도 이렇게 다 살아가더라. 모두 죽지 않고, 밟힌 자국도 없이.

타자를 구슬리면 넘어간다나. 남과 남으로 만나 더 그을 선
도 없는데 잘 살아있니 명백한 확인 사살이 그날의 트라우
마를 선택해 꿈도 해몽이라는데 악몽을 달래면 뭐가 남지.

죽기밖에 더 하겠냔 너스레도 내가 죽지 못할 거란 확신이 있었기에 축 늘어진 상체를 떨리는 팔로 겨우 일으키다 베개 위로 떨구는 머리통이 아픈 것도 그런 것이겠거니. 이러다 정말 쓰러지면 어떡하냔 친구의 걱정이 담긴 문자엔 하루 종일 침묵을 일관하다 잠들기 전 무의식이란 겹으로 이젠 내 의지 없이 내가 죽을 것만 같다 자판을 치다 "바빠서 못 봤다. 넌 잘 지내고 있니." 상투적인 안부는 이럴 때 쓰라고 있는가 보다. 싫다가 흐르지도 않는 눈물을 닦아내며 애쓴 기도를 움켜쥔 채 악몽이나 꿨으면 좋겠다고 퍼석한 입술을 달싹인다. 더 나은 삶을 바라지도 않으니 제발 좀 그만 깨어나게 해달라고.

눈이 소복하게 쌓인 누구도 밟지 않은 길. 아침 참새도 겨울 추위에 뜬 눈이 시려 지저귐이 잦아든다. 이 날씨에 바다야. 가지런한 머리카락을 몇 번이고 매만지며 옴나위없는 마음에 지나친 책을 넘겨 주연이 되기 전 파도에 묻힌 어린 낱장을 캐낸다. 온종일 몫을 일구다가도 잡념이 세상 전부라고 느껴질 때면 왜 사람은 목소리를 가장 먼저 잃는 것인지 의아함을 품곤 해. 그리워한다고 전부 만개화가 되었으면 봄이 담긴 매화의 옥반지가 적절히 깨지진 않았을 텐데 탄생은 영광이었으나 회고는 ' 섧구나. 어른이 되는 날에 손도 부둥켜안고 떠나자. 잔물결에도 베이지 않는 하나의 우리가 되어 가라앉더라도 이젠 따뜻해지자.

서로의 마음이 담뱃재처럼 날아간다. 툭툭 털어버리면 그만인 것 불씨가 되어 끈질기게 타오르던 시간은 역한 기도와 빠지지 않는 냄새로만 증명된다. 추억 팔이랍시고 수명이 다 된 라이터로 한 번도 읽지 않은 마지막 편지의 끄트머리를 태운다.

보내는 이가 없어져 버린 편지.

쓰다.

그리움을 무덤에 놓고 왔더니 죄책감과 후회만 남았더라. 하는 이야기를 들어봤어? 다 당신을 향한 말이야. 다 나를 탓하는 소리야. 나는 이제 두고 걷던 길도 까먹었고 무덤의 풀냄새도 잃었고 당신의 목소리까지 잊어버렸어. 몇 년을 더 숨을 쉬고 있어야 감정이 정적 사이로 오갈까. 전부 당신 때문이란 말을 입으로 뱉지 않으니 쓰기가 참 쉬워. 내 울대는 소리 나지 않아도 떨리는데 손가락은 자유분방해. 당신은 지금 어디까지 갔어? 요즘 밤하늘을 보면 달보다 별이 더 눈에 띄어. 그간 하염없이 달님을 불렀는데 대답이 없어서 요새는 별님을 찾아가. 이번에는 내 부름에 응하실까. 이 집 저 집 나눠진 자식이 아니었으면 사이좋게 손을 잡고 거리의 시체가 될 수 있었을까. 떨어진 귤 두 개가 한 명의 몫이 아닐 수 있었을까. 횡단보도에 굴러다닌 동전을 보면 눈이 아프고 목이 아프고 온 신경이 아파. 이렇게, 이렇게나 아픈데 왜 나와 동행하지 않았어.

소나기에 엉켜 뛰는 심장에 장식을 달면
가벼운 마음도 무거워질까 봐.

내 마음대로 하라는 말. 진부한 소리 한번 들어볼래. 내 멋
대로 행했다가 너를 잃을까 겁나. 유연한 대처 개나 줘. 사
랑이 그렇대 다들 그러더라. 정작 나는 사랑의 시옷 자도
까먹을 지경인데. 내 마음이 널 아프게 하면 어쩌지. 네가
갖겠다고 자처한 책임이 덕이 아닌 탓이 되면?

나가 죽으려다 창문 틈에 끼여 울고 있는 삶이다. 내 눈물로 창을 닦고 다시 먼지가 앉고 내가 가라앉는지 유리에 금이 가는 건지 아무것도 모르겠다는 말만 반복하며 모든 게 박살 나기 전에 입김을 불어 지문으로 글씨를 새기고 있는 것 같다.

괜찮다는 거짓말을 한다. 모든 무료함 앞에서 우린 정직한 사람이 되니까. 심심함을 되풀이하고 건네보는 자그마한 손편지 한 줄에 침묵을 줄여보기도 하고 마주한 눈짓에 내면을 드러내 보기도 하는. 그런 간지러움 속에 잠시 정을 담았다가 혹여 화상을 입을까 겁먹어 다시 도려내는 연이라 한다.

"너를 읽으면 마음이 없어지는 것만 같아 죽고 싶어진다."
떠나는 날의 말이 하필 그따위여서. 바닷물 짠 내음에도 눈
이 시려 우는 거라고 동정 없는 독자가 되어 너를 들었다.
사람 마음이란 건 줏대 없이 강경해 그렇다. 그래서 소중히
지키지 않으면 나에게도 배신감이 생겨 주저앉고 마는 거
야. 그러니 우린 약해지지 말자. 다시 못 볼 환경을 예고하
며 짐을 싸고 있지만 너와 나는 오만의 색을 알잖아. 다 필
요 없다 악을 쓰는 순간에도 비루한 내 몸뚱이 하나 지킨다
고 그러는 거라 너무 미워하지도 말고. 독을 지닌 계절은
바깥을 두르는 게 아니라 이 망할 속에서 개화하니까.

우울한 게 참 지독하지. 매일 해왔던 일도 단숨에 끊어버리고 내가 싫어하는 생각들을 닮아간다는 게 또 우울하고. 행복의 한계는 있는데 왜 끝은 끝이란 말에 부합하지 않는지. 어느 시기에는 나의 홀로됨을 사랑하고자 관계의 발자국에 빌붙어 사는 초라함도 억울해지고 나만 나에게 미안하지.

제게 죽고 싶어 하지 않을만한 용기를 주세요 어머니. 신은 세상에 없으니 믿음이 정 필요하면 기도하는 자세를 취하는 법만 알라던 말이 여전한걸요. 이 세상에 있으려면 자기 자신을 믿는 게 옳다고 하셨잖아요. 그건 어떻게 하는 건가요. 어떻게 하면 지혜와 정의가 제 의심을 갈아버릴 수 있나요.

내가 죽는다는 사실조차 지겨웠다. 유고에서 발췌된 문장인 듯 中을 글 아래에 적어놓고 이것은 산 사람의 흔적 저것은 죽은 나의 글입니다. 나 몰라라 하고 내가 두 명이라도 된다는 듯 굴었다. 그만 죄를 짓고 싶었다. 비참함과 비통에 머물러 죄를 써도 달라지지 않는 것에 얽매여 물고 늘어지는 건 나답지 않단 명목으로 서술한 모든 죽음을 삶이라 묘사하기에 지쳤다. 쉽게 말해 글 위에서 그만 죽고 싶었다. 몇 가지 방법으로 그림자를 모독했을까. 손가락이 백 단위가 되어도 모자란 이상의 명분을 내가 만든다고 나를 몰아세우던 사람에게 발악했던 말조차 철회하고픈 심정이 가라앉은 먼지처럼 묻어 나올 지경이라 사랑을 지껄였고 성장을 말했고 내가 컸다 했다. 무의식과 의식의 경계에서 나는 아직도 내 손을 베고 떠난 것들을 바라보기만 하며 아이처럼 막연히 울곤 하는데 어느덧 초연한 사람이 되어있었다.

거짓말쟁이의 소설은 한 권이 끝나면 결말이 될까. 모든 정리를 배회하다 결국 이 모든 게 지겨운 것이다.

초라하다. 막아 놓은 창가 벽에 가까이 다가가 기어코 새어 나오는 외풍에 머리를 박고 이불을 발끝으로 말아 올려 통증을 감내한 채 솜에 기대어 위안을 삼는 게. 두 눈두덩이에 열감이 끓고 머리카락 한 올 한 올이 벽면에 짓이겨지는 소리가 들릴 때마다 누군가의 품에 안겨 사랑받고 싶다는 결핍도.

우리 바다 보러 갈래요. 난 마지막이 그리워 가야겠어요. 그러니 우리 손을 잡고 출발해요. 노을도 보고 해돋이도 보고 사랑한다는 말을 새의 음영에 보내며 천국을 도둑질한 사람처럼 지내자고요. 단 하룻밤만요. 모든 게 제자리로 돌아가기 전에 모래사장 발자국에 둘만 남을 때까지 돌아요.

인생은 결국 흑백인 거지. 다색의 색도 우리도 타버리면 그
만이라는 말조차 어려워서 아무것도 보이지 않는 길을 그제
야 찾으니. 더듬거린 손길에 닿은 가지 하나에 미뤄버린 두
눈을 꽂아 넣고서 눈물이 없다며 자처하는 선한 사람인 척
이란.

마음이 얼마나 있기에 미련이 없다 말하면서 욕심이 나는지 모르겠다. 사실 이게 욕심인지도 모르겠다. 비워야지. 하나 둘 세는 것마저 남겨두고 놓는 것도 버려지는 것도 아니니 그저 그대로. 감정이 속돼서 견딜 수가 없는데 못난 도망도 칠 수 없다. 애틋해지기엔 나 자신이 그냥 아닌 모양이야.

진심보다 흔한 빈말에 상처를 받는다. 비어버린 말씨를 건네어 속 빈 흉터를 피운다. 손을 대면 바스러지는 것이 당연했으나 손은 온전해지지 못하는. 다양한 증상을 남긴다. 진심은 강하고 빈말은 가렵다.

죄책감 없이 네게 미안해해도 될까. 내가 너무 어린 게 잘
못이었으면 잘못이었을 거야. 추모를 안고 찾을 수 있는 방
법이 없어 안식을 제쳐두고 사고 현장이라도 갈까 싶은데
내가 아는 건 상황과 이미 늘어진 피투성이 네 몸이 다라.

장례식이 그리워.
그때는 그나마 네가 곁에 있었을 것만 같아서.

이제야 네가 기댈 수 있을 만큼 컸는데……

태어나고 지는 계절이 겨울이라 다행이네. 두둑이 챙겨준 추억 뒤편을 바라보면 눈밭 위 벚꽃도 피어나. 보고 싶단 말이 녹아버리면 땅에 묻힌 네 이야기를 들을 수 있을까. 나는 오늘도 하루를 보냈기에 떠나보낸 너의 시절을 지났어. 잘살아 보겠단 위안을 네게 건네. 꿈속에서 만나 목소릴 들려줘.

다 괜찮을 거다. 사람도 미학이라 흐름에 맡기다 보면 결국 수면 아래로 떨어져 다른 것을 우선시하게 되는 것이라 나는 무덤도 묘비도 함도 없으니 다른 것보다 잃어버리기에 훨씬 쉬울 거라 고지해두마. 그러니 잘 살아.

아니다. 그냥 살아라 자네는.
잘은 언제나 힘겨웠다.

¹ 이왕이면 내 비관에 목이 메 죽었단 구설수를 퍼뜨리길 바라. 안녕, 비열한 시대야. 삼재가 끝나도 해는 저물지 않은 뜻 나는 이만 가겠다 싶은 마음이 들어. 회상은 그만두고 새끼 없는 약조를 하자. 돌아온다. 네가 기다림을 기다릴 때면

² 기다림의 독백은 잘 지내란 먼저 쓴 작별에 가까웠다. 그러니 나는 너의 침묵도 줄여 재회에 눈이 내릴까.

지어진 고유명사를 품어 사계를 겪다 필연처럼 피는 것은 꽃송이와 닮았더라고 하더라도 지고 피는 것과 달리 손바닥 지문에 쓸려 감춰지면 다시 감상할 수 없는 미학일 터라 사람이라서 아름다웠다 쓴 문장을 아무리 고쳐봐도 너라는 객체를 지울 순 없었고 나의 주인공이 아니라면 오래 자라나는 순위권 밖 나무가 되지 그랬냐는 그리움의 양분도 비료가 되지 못하고. 의지였든, 이별이 사고와 닮아 택한 것마저 순리였어도 쏟아져나오는 문구에는 온통 보고 싶은 그 사람 그 순간 그 시절의 이름이었으나 사랑은 어려웠고 헤어짐은 쉬웠기에.

갈퀴 같은 손을 구부렸다 피워내며 숨이 먹먹한 발음을 내놓아 눈을 감기고 내 피부를 느끼는 거야

이곳에서야 거짓을 지운다면

드디어 솔직해진다면

손가락 마디 하나로 뭉개진 벌레의 사체를 바라보며 우리가 지어낸 자격지심이란 말로 비교를 해댄다면 달라지는 건 없지 않을까 나는 그제야 측은지심을 알아채 인간으로 태어나 사람 행색에 의연한 척 불쌍한 건 나였구나 넌 줄곧 말해왔지 나라서 행복하다고

감상을 자아내는 바다는 물결이 따가워
괜한 신경을 쏟게 해

강으로 가자

농조로 불어 터진
숨이 먹먹해서 기포로 대신하는 모든 발음을 이해하도록

세상이 진물과도 같아 지레보단 차라리 피를 쏟아내는 편이 낫지 않을까. 우리 그리하도록 하자. 화자가 두루뭉술한 곳에 청유문을 넣고 부단한 독백이었다고 말한다. 폭풍 전야처럼 걸음 보폭도 소리도 너와 나의 세상은 겨울이야 개인들이 복수형이 되어 잃어가고만 있는데 인생을 잘 못 살지 않았다는 걸 안다는 것으로도 방치해둔 죗값이 달아진다. 필요하다고 내미는 손은 더 이상 안쓰러워하지도 못해 필요성도 모른 채 주머니에 죄다 집어넣고 넘어지는 게 일쑤라. 일어나지도 못하는 망상을 끝내면 상상이 오려나. 나는   을 하고 있다. 나래를 펼쳐도 낙사 하지 않는, 추락하더라도 평화의 뜻이 되는 종말의 아침을 선두로 집필하고 있다. 바닥을 뜯어 묻어보는 오늘은 억수 같은 박동을 묻는 날로, 뒤덮는 내일을 위하여 일직선 상 위로 옴팬 살점을 올려둔다.

미친 게 좋다
비록 나는 정상이어도
—— 排泄

나는 잘 살거라고 생각하는 사람과

내가 곧 죽을 것 같다는 사람 사이에서의 가치관이란.

빈 용기를 준비하기. 별 보러 가자. 대뜸 내 손을 이끌고 잠옷 차림에 무슨 드라이브냐며 꾸중을 건네도 야경은 예뻤다. 순수하잖아 너스레를 떨던 네 옆모습도 그렇듯 운전대를 잡은 손가락 약지엔 반지가 있었고 저 별보다 빛이 나 우린 별을 보려 했지만 서로가 더 아름다웠던 거지. 애틋했던 거지. 우주는 얼마나 넓을까. 있잖아, 사람은 우주의 먼지래. 그런데 나는 사람으로 태어난 게 피치 못할 사정처럼 느껴져 더러워지는데 먼지라니 참 귀여운 이름이지 않니. 개명할까 봐. 웃고 떠드는 새벽녘은 어두워 차량 조명과 휴대전화의 플래시와 드문드문 피어난 별빛만이 하루를 감싸 빈 용기 준비됐니 묻곤 투명색에도 색이 있더라. 나는 탐미주의고 너는 낭만주의니 끌어안고 자자.

야, 근데 이런 날씨에 밖에서 자면 입 돌아간대.
괜찮아. 꼭 껴안고 입술을 더듬고 하루아침이란 말로 올라가자.

[1] 혹여나 나는 곡선이라 칭했던 마음이 네게 도달하면 직선의 창이 될까 봐. 보고 싶은 하루들을 응집해 마치 방금 막 네 생각을 했다는 듯이.

[2] 너를 뒤로 미루고 계속 미룬 줄 알았다가 다시금 너를 확인하려 고개를 돌렸을 때 너는 여전히 앞에 있고 나만 뒷걸음질 쳤다는 걸 깨달아서 그래. 벼랑이 무섭진 않지만 벼랑 끝은 겁이 나는 것처럼 나는 널 밀어버릴 마음이 없고 낙하는 취미가 아니기에.

친구라고 부르던 누군가의 장례식에 다녀왔다. 얼마나 행복해야 할까. 기준점을 찍고 일주일 동안 슬퍼하는 척을 하며 기쁜 웃음을 여러 겹으로 말아 닦아내 본다. 더럽혀진 거울의 먼지 사이로도 뿌연 입꼬리가 환해 보이는 것 같다. 만족스러운 일이다.

초원이 보이는 앞마당에서 뛰어놀고 있는 해맑은 아이를 보아도 나는 동정이 생겨요. 이름은 나라고 하던데요. 아이라고 하던데요. I 라고 하던데요.

소리가 거북하다. 바퀴와 아스팔트의 마찰, 계속해서 울어대는 까마귀, 담뱃불이 지져지는 발굽, 켜지지 않는 라이터, 재생이 끊기는 음악, 곡선이 휘감기는 대화, 귀를 막는다. 바다 소라가 있는 지평선을 떠올린다. 귀를 닫는다. 눈이 시리기만 한 목욕물의 저 아래로.

맞는 건 그다지 아프지 않았어. 당신의 배려 없는 언어가
고달팠지. 허기? 사람은 물만 먹어도 며칠은 버틴다고 하
더라고. 차가운 화장실 바닥의 계절이 여름이라 다행이었네.
겨울이면 욕조에 하루 종일 담겨서 그대로 박제당할 걸 그
랬지.

[1] 빗방울이 털끝을 안아 추위를 머금는 밤에 올려진 인간의 손길은 겁을 상실하게 만든다. 젖은 사료가 입가에 묻고 참치 국물이 번진 것도 모른 채 자동차 배기를 이불 삼아 잠을 자던 순간들을 왜곡시킨다. 그들은 날 해칠 거야. 며칠 전 안부를 주고받던 나비도 나와 똑같은 향을 품고 죽어있었잖아.

[2] 무당이니 신이니 종교도 없는 녀석이 이 집 저 집 돈이 썩어나가는가 믿게 해주시라는 둥. 여간 형편이 어려운 게 아닌가 보다. 너는 믿음이 부족한 게 아니라 불안한 거지. 안타까운 신세야. 마음의 병으로 모든 게 헤퍼졌다. 엊그제 새끼 밴 길고양이도 마음이 아파 죽었다더라.

꽃향기가 나를 부른다. 보이지 않는 손짓에 따라가고 들리지 않는 음성에 몸을 바친다. 하늘은 휘황찬란하고 그리웠던 먹구름도 사라진다. 앞에 보이는 것은 온통 사람들과 피범벅된 사람들. 그리고 또 사람들, 또 사람.

——————— 0 BPM

역겨운 정액을 먹고 구역질을 하는 구질구질한 욕실도 질린다. 따가운 몸을 뜨거운 물에 헹구기도 지친다. 거칠게 잡힌 머리카락이 젖을 때마다 서럽다. 너를 만날 때마다 나는 항상 폭우 속을 달리는 것 같다. 어쩌다 멍든 눈이 짝눈이 되어 네 얼굴이 벼락처럼 보이던 날도 마찬가지로.

투박한 제 말이 아름답게 꾸며진 당신의 언어에 파묻히는
것 같아요.

좋아요.

이렇게 숨겨주세요.

당   신   의   어   휘   에
갈   겨   진
가   난   한   생   명   체   가
될   게   요   .

너를 사랑하기 때문에 놓아주려 한다. 거짓말이다. 너를 사랑하지 않는다. 사랑을 놓는, 이별이 주는 감성에 허우적대고 싶은 욕망의 번역일 뿐. 띄어쓰기는 오탈자에 가까웠고 첫 문단부터 나는 나만을 보았다. 나르시시스트로의 포르노그래피다.

졸지에 고향으로 돌아가 핏줄을 갈아버린다던 침구 위어미가 네 아비에게 연락이 왔어 한번 만나볼래 아녜요 어제 아침 댓바람부터 슬리퍼를 질질 끌며 창고로 숨어들어가 일기장을 통째로 베껴보니 나는 그런 억울함을 느껴본적이 없어서 아무래도 아비 노릇은 살아서 한꺼번에 하는것이 좋을 거라고 상판은 치워요 낯짝도 얇은 양반이 깨지려고 환장을 했지 어머니 전 범죄자랑 살아요 잘못을 했으면 인정부터 하라고 오만 닦달을 하던 것을 당신도 지키지못하니 오만방자한 안면을 갑니다 목구멍에 손가락을 집어넣고 목젖을 만드는 기개를 펼치고 다시 과오로 돌아가 어머니 서로를 버린 주제를 들먹이며 과오로 치부하는 게 맞나요 이건 그저 과거일 뿐이고 나는 얽매이지 않기로 했어좌우명으론 집어치운 지 오래지만 아무리 그래도 자식 팔아먹으려는 새끼랑 겸상은 솜털도 토악질하여 온대 다 드러눕겠어요

천재성의 밑동에 드러나는 재능의 불가항력이란 생각의 너비를 꼬아 열모의 반의어를 적게 만든다. 인간이 폐기물에 속한다면 나는 필히 우선순위로 매겨져 자괴의 귀인이 되어 있을 것이다. 사람은 미치기 직전이 절정이라 탐스럽댔나. 마주한 두 시선 사이로 억센 외설이 박힌다.

나는 당신이 미치도록 싫어

산다.

[1] 가로등 하나 없는 골목길을 걸어. 술도 먹지 않았는데 취한 척 아니 미친 척. 듬성듬성 잘려 나간 머리카락을 부여잡고 어지러운 듯이 빙빙 돌아. 이건 뭐 병이라던데 언제나 병명 없는 나였으니 또 지나가겠지. 먹음직스러운 숙취라고 부르자. 한밤중에 목 놓아 부른 노래도.

[2] 인생을 태워 청춘의 계절을 부르네. 막돼먹은 치기 어린 젊음의 충고란 나이가 들수록 꿈도 좀먹어가는 것을 말한 걸까. 구분 없이 앞뒤가 고깝다. 홀로 선 골목길의 예찬도 목 놓아 떠나간다.

내가 너무 나쁜 사람이라 숨 한 번에 무릎을 꿇고 떫은 울음을 죽인다. 머리카락 가닥들을 쥐어 눈두덩을 짓누르고 전해져 오는 열기에 죽겠다는 다짐 한 번을 또 목으로 삼켜내는 일도 내가 너무 나쁜 사람이기 때문에. 사는 것에 경련이 난다. 내 의사와는 상관없이 자꾸 떨어진다.

내가 목을 매달면 그 아래에 불만 지피고 가. 내가 운전한
차와 내가 짊어진 짐도 태우고. 작별이 돈으로 환산되면 그
걸로 여행이나 다녀.

리무진을 타고 환대를 받는 건 돈지랄일까. 사랑일까. 무책임한 갓난아이를 두었다는 이유만으로 중독과 폭력이 정당화되지는 않을 터인데 홀로 고향 땅을 밟은 걸음은 모성애였을까. 미련한 자존심이었을까. 이부자리 위가 마치 수면인 듯 파르르 감은 눈꺼풀 사이로 튀어나온 불경한 생각이 내겐 선이었다. 차라리 내가 죽음을 겪기 전에 찾아오지. 사람을 역겨워하던 찰나에 다가와 내 이름의 행방을 묻던 혈관을 갈아버려도 족했을 것. 나는 여전히 당신의 핏줄을 원망하는 날 나무랐던 어머니의 모습을 이해하지 못한다. 그래도 아버지라니 그래도 아버지라뇨?

허벅지를 타고 흐르는 새빨간 피를 따라 하반신에 우직한 목적이 생겼다면 생기를 나르듯 옅은 바람에 흔들리는 상체는 흐려지지 않을 수 있었을까. 고꾸라지는 나의 머리끄덩이를 잡아 올려 삶을 독촉해 생을 얻은 건 당신이었고 나는 수탈한 사람이 된다.

[1] 벼랑 끝에 서도 나는 기준이 없다. 독백이어야만 하는 말의 뜻이 나열되고 있으니 찰나마저 모호한 원망이 선다. 무엇이 옳은가. 무엇이 나빴고 무엇이 이롭던가. 직선으로 팔을 뻗으면 잘려 나갈 손목이 보인다. 나는 없고, 썰린 신경만이 독립하여 단애에 붙어있다.

[2] 안정을 찾았냐고 묻지 마세요. 처음부터 그딴 건 없었고 고작 이런 짓에 진정될 신경이었으면 난 이미 두 팔을 자르고도 잘 살았어.

괜찮다는 말 한마디도 이름값이란 세간에 묻혀 죽어가는 인물들에게 함구증이란 용어를 가져다 붙인다.

그래. 우린 괜찮다는 말에도 죽어가는 거야.

공기압에 낙하한다. 들이마신 숨 하나에 떨구어보는 피로한 눈물. 몸이 무겁다. 자연의 심미를 깨닫고 동경해도 꺼지는 시야를 구원해 주진 않는구나. 괜히 네가 되고자 했다. 맑게 갠 날에도 나는 먹의 심경에 동조했는데.

너의 자살 시나리오를 작성했다.

우리는 그것을 사랑이라 일컬었으나.

...

다정한 쓰레기가 되어야겠다. 나는 너의 말을 듣고 너는 내게 삶을 말하니 우린 함몰된 부표와 닮아간다. 흘러가지도 못하는 부질없는 것 보고 싶다는 말과 왜 살아있냐는 물음이 동시에 들려 네가 날 찾아오면 꼭 죽어달라 외칠 것처럼. 내가 타인의 자살 시나리오를 작성하듯이.

내 몸에 닿는 것은 모조리 낙落이라 손아귀 힘을 길러 어떻게든 붙잡아도 동그란 모래알 생채기만 선명해 나는 말 그대로인 투기投棄꾼이 되는데 남들 모르는 속사정 그건 내가 아니까 심장을 달래고 가슴을 어루만져도 영 뜨끈해지질 않아 속에서 피가 터져도 차게 식나요 돌기를 따라 멍만 그득해진다 주변에서 일어나는 사건 사고에 신경이 곤두서는 게 우울이 아니고 내가 살인자의 자식이라는 게 불운이 아니고 식사 자리에 올라온 유서를 읽지 않아도 유산보다 먼저 죽을 부모의 현장이 선명하다는 게 불행이 아니야 놀음과 위안을 동시에 한다고 옆집 형의 부름에 꽁무니를 뺐냈던 건 금칙어에 가깝고 이것 또한 외설은 아니겠지 온종일 낙하한다 추락사와 자유를 유의어에 두고 반대말 작자들을 패 죽인다 잔뜩 으스러지고 박살 나는 발자국과 그림자 그럼에도 나의 속내는 시퍼런 물살에 짓눌려 무의식도 수포음을 뱉는다 또다시 멍이 든다

왜 내 손에 닿는 것은 흩어지고 나는 지옥문에 발가락도 찢지 못해 고통보다 무감을 먼저 배웠나.

며칠에 한 마디 나눌 때도 들리는 건 나를 향한 모독뿐이니 언제 한 번 방문을 뜯고 박살 내버린 액자와 거울 파편을 쥔 채 당신에게 그럴 거면 죽으라고 말하는 게 서로 피차 편하지 않겠냐 던질 것만 같고 잘 살자고 다짐한 건 당신 욕심이었으니 난 지금 당장 죽을게 근데 오늘은 당신도 죽어야 해.

감정을 토로한다는 건 위로의 몫을 잘게 쪼개어 홀로 이 맛 저 맛을 보는 평론가가 된다는 것일까. 너는 몰라도 내가 말한 고민이 다른 사람은 지루하다 느끼겠지 안 그러냔 친구의 물음에 내가 다른 사람이 되지 못했는데 어찌 그걸 아 느냐 삼 분 정적 후 기다란 숨 위로 관대해지는 세월이 있 는 거지 세월이 관대하진 않더라 읊조리고 고개를 저어 나 는 겨울철 살얼음처럼 지겨움을 느낀다고 우긴다.

재 　　　　　　 = 　　　 별
　　　　　　　　　　　　　　 .
밤 　　　 이
　　　　　　　　　 온 　　　 우
　　 주
　　　　　　 .

칠흑이라 써도
지구에선 진정한 검은색을
볼 수 없다는 소식에 비행사가
되기로 했어 나를 이용한다면
이용해 너의 빛이 될게
너의 어둠이 될게

유일성을
띤 피조물 형상이 되어
깃발이 날아가는 동안 헬멧을
벗고 고해할게 지구의 너
에게 나는 불타기
위해 낙
하
해

너의 목을 졸라 숨에도 탄성이 있어 뱉어내는 말보다 독하다는 사실을 아니. 온갖 삶을 가져와 네게 왜 살아있느냐고 묻고 싶었어. 이곳은 불길이 치솟는 현세라 지옥을 달리 부르면 이러겠거니. 기도문을 외우고 반야심경까지 독학해 들먹일 수 있는 종교의 덕은 환생도 아니었다. 구질구질한 윤회야.

더 이상 살아가지 말자

구원 서사를 원한다면 제대로 깍지 끼고 투신이나 하자

우리는 수심 깊은 바다에서 피어나

그 누구도 찾지 못해

땅에 드러나지 않아 꽃말도 없는 거야

당신만 행복하면 돼. 우리란 말도 그만 섞자.
색도 사람도 섞이면 탁해질 뿐이고,
우린 애초부터 청렴하지도 않았잖아.

낭만을 사랑에 붙이니
온통 이상성욕 덩어리뿐이잖아요
── 排泄

현 목차는 직접적인 외설 및 욕설이
포함되어 있어 주의가 필요합니다.

그래 인정할게. 난 지금 죽을 듯이 널 사랑하는 거야. 그러니 네가 드러나지 않는 우울에 잠겨 허우적대는 모습을 볼 때면 아무것도 해줄 수 없는 날 탓할 수도 없으니 미련하게 뛰는 심장을 움켜쥐고 칼로 목젖을 쑤셔대는 거지. 사랑이 이렇게 독해. 술도 먹지 않았는데 돌아가시는 취기처럼.

좋아해.

.

.

.

고독하게 뱉은 사랑에도 너는 낭자하게 터져 죽었으면 좋겠다. 내 사랑의 모든 결말을 이리 쓰고 싶다.

식칼을 들어 펠라티오를 하듯 쑤셔 박고 싶다. 껄떡대는 숨에 피비린내가 풍기듯 내 염원이란 그런 것이니까. 어느 모양새에도 어울리지 않던데 이것마저 나쁘다 칭하면 어찌 살라고.

내가 버티는 걸로 보인다면 이건 발작이야.

날 용서해 주면 안 될까. 못난 곳을 찾다가 지쳐버리는 몸뚱이지만 버려지는 행위의 가치는 있잖아. 너의 인생에 쾌감을 주잖아. 네가 바위가 되라고 명령하면 가만히 그곳에 있을게. 발로 차이면서 아프다는 소리를 씹어먹을게. 그러니까 다 지나고 나면 날 꼭 안아주면 안 돼?

흔한 칭찬 하나를 못 버텨서 끙끙 앓다가 혐오감을 혼자 조성해 버린 나머지 욕구가 총구의 뒤틀림이 되어 목젖을 건들고 꺽꺽대는 성행위처럼 보인다니까요. 제가 더럽혀진 성욕의 결과물이라잖아요. 지워지지 못한 성별 그 자체라는데요. 얼마나 좋아요. 이렇게나 행복한걸요.

엄마가 다른 남자와 자는 걸 보았다. 손만 잡고 잔다는 핑계는 사지가 멀쩡할 때나 하는 소리란 걸 깨달았다. 어젯밤 양팔에 깁스를 한 채로 멋쩍은 미소를 올리며 사고란 경위로 엄마가 다쳐왔다. 그런 꼴도 맛없는 외간 남자의 저녁을 먹어야 한다고 했다. 내 입맛은 저렴한 편이었으나 왠지 모를 거북함이 들었다. 미각도 마찬가지였는지 엄마가 남자와 안방으로 들어간 뒤 화장실 변기통을 붙잡고 몇 번이고 게워 내길 반복했다. 청소했던가. 구릿한 냄새가 올라올 때마다 위액까지 토해내 결국 세면대 바닥을 내려다본 시선의 끄트머리에선 핏물이 떨어졌다. 다만 아프진 않았다. 나는 거실로 돌아가 고물 같은 텔레비전의 볼륨을 최대치로 올렸다. 격한 남성의 호흡이 듣기 싫었다기보단 엄마의 교성이 자극적으로 다가왔다. 두 눈을 번뜩이며 살아있는데도 몽정을 할 수 있던가. 연거푸 토사물을 휘저은 손가락이 더러워 발정 난 생식기를 만지기가 꺼려졌다. 조명은 밝았고 소파는 부드러웠고 거실은 넓었다고. 생각의 생각을 거듭하고 있으니 어느샌가 울리던 소리가 잠잠해졌다. 끝났나? 나는 채널을 예능 프로그램으로 맞춰놓고 조심스레 자리에서 일어나 안방 문 앞으로 다가가 문고리를 쥐었다. 문틈이 뻑뻑해 약간의 틈새만 남기고 쉽게 열리지 않는 탓에 창호지 구멍을 뚫듯 연한 색기를 마주할 수 있었다.

나는 처참한 광경에 이를 꽉 깨물어 분지를 뻔했다. 외동의 장점은 사랑을 독차지할 수 있다는 점과 외로움의 경위를 따지고 올라가 애정 결핍의 산화를 무수한 자위로 끝낼 수 있다는 것이었는데 세상에, 애새끼라뇨. 벌린 다리 사이에 젤로 범벅된 엄마의 구멍 속을 오가는 남자의 물건은 콘돔이 씌어 있지 않았다. 문을 발로 차고 남자의 목을 졸라 그만하라는 엄마의 구슬픈 외침 속에서 분노를 절제하지 못했다는 안일한 이성을 통제해 살해 욕구를 해소하는 몇 날 며칠의 상상 속 욕정은 달뜬 호흡에 잦아들었다. 나는 바닥에 빌붙은 맨발을 조용히 떼어내 부엌으로 향했다. 찬장에 숨겨놓은 날카로운 칼 한 자루를 들고 다시 방문 앞으로 향한 뒤 희번덕거리는 눈으로 커튼 사이에 피어오르는 불빛한 줄기 틈의 체위를 바라보았다. 저 남자의 좆을 잘라버려야지. 목숨이 중요한 게 아니었다. 씨가 말라버린 후의 착상할 미래가 불안했을 뿐. 엄마, 내가 구해줄게요. 사랑은 이렇게 범벅되는 게 아니잖아요. 신음이 격정적으로 오르내릴 때마다 팽팽해지는 주름 위로 퇴색된 교미의 뜻이 흐르고 머리를 쓸어올리는 중년의 땀방울은 구질구질하기에 짝이 없었다. 비명은 길어도 순간은 찰나와 엮이니까요. 남자를 껴안으며 몇 번이고 사랑을 읊조렸다. 사랑해요. 사랑해요. 사랑해요. 엄마를. 사랑해. 당신보다 생생한 내가 더 좋을 거야. 난 어리고 맹목적이고 폐를 주워 담지 않아도 되고 이탈한 장기를 거금 들여 팔 처지도 아니고 무엇보다 자식 이잖아요. 배 아파서 낳은 자식. 손에 남자의 생식기가 늘어져 있었다. 엄마, 정액은 나빠요. 백만 마리의 생존력이 중요해요? 임신은 허투루 하는 게 아냐. 날 봐요. 버젓이 살아있잖아. 탯줄을 엮어 구조 신호를 보내고 양수에 익사해 혼절한 지난밤이 그리워요.

엄마, 절 사랑하긴 했어요?

그렇게 말하지 않아도 알아요. 누군가에게 글은 해방이지만 제게는 속하지 않는 문구라는걸. 쓰면 쓸수록 저 땅끝을 할짝대고 돌아와 욕정 하며 다시 펜을 잡을 신의 고유명사잖아요. 어쩌면 돌아오지도 못한 채 그곳에 박혀 한참 동안 절정을 맞이하다 발기되지 못할 문체라니까요.

[1] 우리 누구보다 친한 친구가 되면 안 될까. 사랑이 탐스러워 보여도 정이 오간다고 하자. 곁에 두고 싶다는 욕심이 친한 친구 사이기 때문이라고. 좋아해, 사랑해. 네가 없으면 못 살지도 않은데. 이따위 허영보다 영혼을 팔았다고 할게. 서로 맞춘 반지를 끼고 우정 섹스 같은 걸 하는 거야.

[2] 고즈넉한 감상은 흘리지 말자. 우리 사이 유희는 소음과 더불어 살기였잖아. 도심 속 끄트머리에 앉아 귀를 닫고 물고 빠는 게 특기였다고. 코앞 블루 라이트보다 전경 같은 네온사인에 눈이 멀어버리고 더듬어 맞춘 육감은 새벽 공기 마찰과 닮아 시리고 향기로웠으면 된 거야.

내가 늙어 죽는다면 양치기 소년이란 젊음을 부여받아 가두겠지. 내 기억은 산탄총에 배열된 채 내구성이 떨어지는 필름 몇 장에 인화될 운명이라 무덤을 헤쳐도 좋으니 만들지만 말아 달라는 유언을 남기고서 법을 어기고 가래침과 함께 뱉어지자고 해. 지르밟은 땅과 성교하는 목숨이라 헐값이잖아.

난 여전히 네 이름을 기억하고 우리가 만났던 겨울의 길모퉁이가 그리워. 하얀 셔츠를 입고 춥지 않다고 다녔던 나를 껴안고서 걱정해 주었던 모습도. 침대 위에 함께 누워 나는 차갑고 너는 뜨거우니 서로가 섞이면 좋은 온기가 되겠다며 미소를 짓던 순간도 버리지 못하겠어.

왜 마지막에 날 사랑한다 하지 않았지?

발끝이 서고 허벅지를 지나 허리, 아랫배까지 저릿해 오는 경련 같은 감각으로 곧 넘어갈 듯한 호흡을 내쉬며 제대로 말을 잇지 못하다 흐르는 눈물과 퍼지는 입꼬리에 힘을 실어 목 졸라 죽여달라고 하는 나. 다들 네가 미친 새끼인 걸 아냐 그러는 널 보고 알면 내게 너뿐이겠냐 말하고.

죽어가는 것도 쾌락이란다. 숨도 못 쉬어 가지런한 자세로 성기를 받아내는 체위가 연상이 돼 누군 망상이라던데. 생각이 고르지 못한 길로 굽어진다. 법 아래서만 놀자 네가 그랬었나 도수도 없는 약에 취한 추태의 밤이 꼴렸단 말인가.

호흡이 퍽퍽하다.
죽기야 하겠냐마는.

양 발목을 쥐어짜듯 잡아 끌어내리며 거친 온기를 전한다. 숨과 숨이 만나면 뭐게요. 그건 과호흡으로 인한 질식사야. 타액으로 번진 혓바닥을 내 입천장 아래에서 휘갈겨 알파벳을 쓰면 키스는 잘하는 거라던데 이리저리 오가는 치열의 개수를 세어도 당신 진짜 키스 더럽게 못해. 악, 아파요. 살려주진 마시고요, 아빠, 그러니까 엄마가 외간 남자랑 바람을 피우는 거예요. 그 작디작은 좆을 함부로 놀리는 것도 모자라 입도 간수를 못 하니까. 폭력의 행태를 닮아간다는 건 인간 취급을 받지 못한다는 거지 당신이 존경할 만한 인물이 된다는 게 아니잖아요. 거기 싫어요. 나는 대물만 받는 후다 새낀데 전립선에 기별도 안 가 신음을 내지르면 다 기쁜 거게요? 행복하자면서요. 도란도란 얘기도 나누고 식사 자리에선 웃음꽃을 피우고 체온의 범위를 알아채는 거요. 씨발, 좋아서 우는 거 아니야. 당신이 너무 좆같아서 그래. 씨발 씨발. 겨울밤에 내쫓기면 나만 손해라는 말은 우습기 짝이 없어. 등신아, 여기 엄마 명의야. 그런데도 두고 간 거

면 눈에 훤하지. 그런 나도 버림받은 거라니. 아빠, 나 어제
도 엄마랑 떡쳤어. 좋아 죽던데. 하나 둘 셋 넷…… 언제였
더라. 마지막으로 당신 아래에 깔린 날이. 좁아터진 건 당신
속이겠죠. 애새끼라니. 화를 애꿎게 풀지 마요. 그게 더 어
려 보여. 나 자궁 없는 거 알잖아. 씁스러운 정액이나 내지
르고 칠칠치 못하네요 아빠. 나 내일 나가요. 개 같은 연쇄
도 끝이에요.

욕정에 미쳐서 낮과 밤 동안 자위질을 해대는 게 나았어. 널 보고 사랑이라 부르는 것보다 쾌락이 더 소중했다고. 그만 다정해도 돼. 예뻐 죽겠는 건 내 좆같은 목숨이면 과분하니까.

서로 이름도 모르는데 몸을 섞다니. 역시 섹스는 사람이 중요하지 않은 거야. 다정한 어투도 내 생식기관이 대신 들어주고 호흡과 열기도 피부가 대신 맞아주겠지. 생각에 틈이 생기면 금방이라도 울 것 같아서 내려다보지 못하는 눈으로 쳐다본 천장을 사랑한다 했듯이.

그만하잔 지친 어투 뒤로 따라오는 생활이 정말 괜찮을까 봐 걱정하는 거지. 발판으로도 못 삼을 거짓된 연인이었던 게 아닐까 하고. 나는 널 진심으로 사랑하고 싶었는데. 내 유일한 고백이 되길 원했는데. 행복하지 않을 것 같아. 우리란 낱말이 잦아질 때마다.

바다에서 피어오르는, 연기 한 점 없이 검게 그을린 불꽃
놀이의 개수를 헤아릴 때면 모래사장 발돋움에 목적을 두고
너의 이름 석 자 나의 이름 외자를 적고 하트 무늬에 자갈
을 둔다. 모든 균열은 뜻이 있다는 단언. 나는 헤어짐도 시
작과 같아서 납득이 필요했으나 너는 애타게 나를 붙잡아두
고서 오지도 않을 기념일 선물을 준비했다고 했다. 생각할
시간이라는 건 시간을 가진 자만의 감정적 여유라고 생각
해. 옴짝달싹 못 하는 생각을 수화음에 건네고 함께 잦아든
다.

　동공을 파훼하는 눈짓, 까슬까슬한 손길. 혓바닥이 얽히
고 침샘이 터지는 건 이성적이지 못하다는 증거였다. 짐승
의 본능을 교열하면 인간이 돼. 하등 달라질 거 없다는 소
리야. 허리를 감싸안고 방금 갈아 끼운 듯한 흰 시트 위로
정교한 상흔을 남긴다. 똬리를 튼 것 같은 자흔 위로 도톰
한 입술 주름을 새기고 밤을 거둔다. 저 별은 오늘의 교성

을 몰랐으면 좋겠다. 도파민을 자극하는 행위가 이어질수록 세밀해지는 마음이 둔탁해진다. 커튼을 젖히고 늦은 거리를 쏘다니는 사람들의 표정을 관찰한다. 이게 꿈이었으면 좋겠어. 환상 같으려나. 아니, 이건 질문이야.

푸른 얼굴, 수포음을 만들면서도 창백해지지 않는 호흡을 한다. 헤엄치는 물고기가 아니라 두 마리의 아가미로 태어나 우린 투영할 만한 저 하늘을 보고서 숨을 쉬는 법을 알았어야 했다. 처음부터 아니었던 거지. 처음이란 낱말을 찾기 위해 지금까지도 페이지 수를 가늠하지만 너를 위해 단정한 척을 하고 나를 위해 단정을 짓는다. 시간은 허영일 뿐 격앙도 자그맣게 피어난 굴절을 겪고 한숨 대신 대답이 온전했던 건 전부 너와의 이별을 위해서였다. 가다듬는 숨결 아래로 진심 어린 눈물이 흩뿌려진다. 파도 소리를 듣고 공공연한 편지를 읽는다. 온통 추신으로 범벅된 한여름의 기억이다.

버렸으니 괜찮다고 생각했다. 북적이는 환락가를 스치는 정갈한 정장이 흐트러져도 매무새는 머리칼을 몇 번 다듬은 손길로 족하니까. 손가락 사이로 빠져나가는 핏물이 아닌 선한 핏덩이를 만지고 싶었는지도 모른다. 애틋함이 세월을 빗겨나가니 우습다. 격정적인 숨도, 너도 감당할 자신이 없는데.

숨이 흩어지는 색을 알고 있나요. 이건 계절을 따라가지 못하는 도태된 감정선과 닮았더랍니다. 사랑을 한다고 자부해도 잿빛이 돌고 소파가 적인것처럼 찢어도 탁해요. 괜히 맑은 사람을 보고파하는 게 아니라니까요. 당신은 숨을 삼켜요. 그렇게 나랑 입을 맞추고.

호흡.

몸이 싫음 이름을 줘요.

우리의 입맞춤엔 도수가 있었잖아요.

어느 해수면과 다를 바 없는 내 몸을 쥐어 들곤 부탁해. 병원 가자. 제발 정신 좀 차려봐. 깨어나면 나는 또 하루의 기억을 잃고 온몸에 든 피멍을 보며 묻겠지. 네가 그랬니. 상황은 피해자도 가해자도 없이 둔탁히 물들어 가 서로의 유언비어를 퍼뜨려 나는 네게 맞았다. 너도 네가 그랬다. 하며.

내가 나를 아는 걸 네게 부었고 그럼에도 너는 나를 알아 그런 거라면 너라는 지칭을 버려야겠다. 심방을 훑다 멈추는 일은 쉬워 탄력 없는 옷을 엮어 내 목이 기구에 매달려 있을 때와 비스름히 반복되게 하리다. 정연한 정. 눌어붙은 부스럼조차 고의였다면 언질을 주지. 끝까지 내가 폐기구나.

선생님 배덕감을 지키면 쓰레기가 되나요. 요즘은 재활용
도 한다던데 제가 사람이라 거부가 완강한 건지 나라서 그
런 건지. 그쪽 마음 아픈 게 애초부터 내 탓은 아니었잖아.
박힌 돌 빼내 준다는데 그렇게 고통이 즐거운가. 서로 갈
길을 잃었으니 목적지를 찾을 동안 손만 잡고 자자고요. 사
람을 정제해 어디다 써. 위로는 순애 아래로는 정분이 나
배덕감을 가지고 옳고 그름을 따지는 걸 누구의 몫으로 돌
리기엔 아니지 않느냐고 묻고 있는 거예요.

사랑에 윤리가 통하냐고. 마음에 도덕적 잣대를 들이밀고
규범을 향해 헤어지던가. 선생님, 어렵게 생각해요. 마음이
그렇다고. 어? 멍이 사그라들 때까지만 호소해요 우리. 내
고백을 달가워하지 않는다는 거 알아요. 붕대를 감은 손도
곱게 보내줄 수 없는 나를 아는데, 선생님은 나를 보는 게
옳아. 이게 애새끼의 삶 중 일말의 반항으로 보인다면 내
눈을 마주할 수 없는 선생님의 심정이 치기인 거야.

별마저 보이지 않는 어둑한 밤에 뻐끔거린 공기 중 입김은 어쩌면 온실 속 색채와 닮았을지도 몰라. 그래서 네가 밝아 보였나 봐. 아치형으로 말려 올라가는 입꼬리에 감긴 나는 지느러미를 털며 춤을 췄을 거고 또 고백했겠지. 보고 싶다. 셀 수 없는 약조를 그리며 차츰차츰 무너지는 시선을 따르니 보고 싶다는 말은 피어나지 못하고 있고 홀로된 눈밭에 엉켜 사람 모양으로 넘어진 기분이야. 우린 왜 태어났지. 살았기 때문에 고독의 특권을 배운 양 굴었어. 둘은 낭만, 하나는 비참함이랬나.

입천장을 검지의 끝으로 훑어 넘어가는 침샘의 기포까지 알아채 끈덕진 게 눈빛인지 목젖의 움직임인지 모를 집중으로 하루아침을 맞이하자는 요청. 간곡한 부탁 없이도 하룻밤은 질리지 않니. 우리가 환락에 돌아버린 두 사내도 아니고 76년 만에 돌아오는 혜성도 쫓잖아. 낭만주의자처럼.

정직하게 사랑한다. 그리고 엿 먹으라지 되돌아올 육두문자도 탐스럽게 아낄 자신이 넘쳐 너는 사랑을 아니 나는 너의 매도에도 사랑을 느껴 이건 이상성욕 덩어리 또는 애정. 원래 애와 정을 나눠 파악하면 전부 소름 끼치는 이상이란다. 그래서 본능을 교열하면 사랑을 해.

세상을 도용한 문학을 씁니다

—— 排泄

지구도 모가 나서 능선의 끝에 도달하면 추락하는
낯선 시인이 되고자 했습니다.

¹ 분쇄된 유골처럼 흩어져 누군가는 날 보내주길 바랐다. 자의로 세상을 돌다 나만 그리워질 때를 골라서 자리를 잡고 숨어 살면 내 주변을 도는 공기압마저 숨을 죽이길. 문체, 어투를 보고 나를 알아채면 나는 잠시의 침묵을 나타낸다. 좋은 일이 뭔지. 상용되는 낱말들을 훔쳐 와도 어려워질 뿐이었다.

² 안정을 바랐는지 안전을 바랐는지. 동공으로 통한 시선 사이로 손을 내밀면 두 동강이 날까 아니면 더 잘게 썰어질까. 안녕은 퇴행이어도 안녕일 텐데 네 생각에 맞지도 않은 절기가 역류한다. 나를 위한다던 너에게 그만이란 철자를 잊길 바라냐고 묻고 싶다.

감정 말고 사람을 사랑했다 쓰는 편이 나을지도. 무맥락의 전철을 따라 옹기종기 떨어지는 먼지 구덩이에 휩싸여 매캐한 탓을 하기엔 그을린 육신 위 하늘은 청정해서. 무슨 소원이든, 누구의 소망도 들어줄 것처럼.

그 무엇에도 뜻이 있지 않아.
뜻이 있노라면 변질되기 마련이니까.

평화는 질투를 한다. 사랑의 시작은 왜 아픈가. 자문 하나를 무의미하게 두고 밤하늘 별에 서서 신발 밑창으로 그림자를 지우는 상상을 한다. 한가로운 날의 날 쪼아 무너진, 바닥에 닿은 신체를 두드리며 상쇄시키려는 생이별의 고통을 묻고 달아난 새의 울음을 노래하며.

악마도 구실을 못 하면 선한 자가 되는 법이지.
그렇다면 천사도 악행을 저지를 수 있지 않겠나.

그럼, 인간은 신이 되겠군.
어느 하나의 날갯짓 없이 선악을 논하니 말일세.

어허, 그런 무엄한 믿음을 짓다니.
폐기될 운명을 점찍었소?

그럴 리가 있겠나. 난 그저 신이 되려 할 뿐일세.

세상살이와 그 저편에 사랑을 두었다가 철회하였다가 부정하였다가 소유하였다가 혐오하길 반복해도 결국 자화상과 시인의 사상에는 사랑 두 단어가 누군가의 뜻과 닮아있었습니다.

문학을 쓰자. 일류와 바보의 한 끗도 공부하고 점철된 활자
에 피를 쏟아도 예술과 거지 구분도 못 하는 걸 돈으로 환
산하는 거야.

　자,

얘들아.

이제 어른들의 지표로

뛰어드는 거다. 순서도

없이 하이텐션 점프를

하고 위대한 기술력을

믿어 꽃가루가 휘날릴 때면

주검도　　하고 마는 거란다.

　아야

바다는 하염없어서 공기압에 숨을 죽이지 못하는 황량한 생각마저 서슴없이 도려내 주는 걸까. 그렇게 많은 사연을 읊다가 가뭄처럼 말라버리면 네 눈물방울은 누가 대신하지. 인간들이 심해보단 수면을 더 두려워했으면 좋겠다. 먼 곳 언저리에 시선을 두고 폐허를 낭만이라 쓰지 말자고.

호흡기가 오늘따라 막막하기만 하다. 쓰면, 쓰지 않으면, 달라지지 않으면, 유전의 비균형으로 살아남은 돌연변이가 되어버리면 어쩐단 말인가. 우리네 생은 큰 것도 긴 것도 자연이 책임을 주지 않는데. 아, 적자생존이다. 어울리는 낱말을 찾아 가져가 붙였다. 망했다. 썰렸다. 이제 죽겠구나!

^{1} 억지로 영감을 받는 날이야. 당신이 반대하던 겨울의 삿포로, 오타루에 왔다. 눈을 잃지 않는 이상 눈은 영원히 눈부실 텐데 눈을 감지 못해 젠체하는 간판들이 없는 곳으로 걸음을 옮긴다. 여기엔 오색이 무의미해 간지러운 입김조차 찬란하구나. 귓가에 오르골이 맴돈다. 추억은 하지 않으려고 해.

^{2} 길도 몫이 아닐까 뭉쳐있는 것만 같아 보얗게 쌓인 눈길 위로 발자국을 남기지 않아도 떠오르는 유년과 초속의 시절. 추억은 하는 게 아니라 젠체하는 간판들을 보려 고개를 들었다가 다시금 낮추었을 때의 신발 끈, 그리고 그림자. 우연 같은 줄기에 엮어진 버릇과 닮은 거지. 무엇이든 속절없는 것 말이야.

나는 회고의 글을 한 줄에 담아 쓰지 못했다. 절명 위기에 빠진 사내가 되어 자연을 거닐었고 쏟아내었다. 절경 바깥은 나의 이름이 묻어져 있었던 건지 모조리 흙으로 뒤덮인 채 고르지 못한 발자국이 움푹 찍혀있었다. 약자를 빌어 내가 된다는데 나는 나의 함을 알지 못하니 이 어찌 못된 죽음인가.

벌레는 생존을 안다.
나는 갖은 이유를 붙여 모르는 체하고 싶었을 뿐이다.

잠은 좀 편안히 자고 있으려나. 나는 결심 앞에 서 탈락한 심경을 다시 퇴고했네. 중독을 멀리할 생각이야. 주치의의 말은 아무 소용이 없었다만 괴로이 하는 것들이 세상에 널렸으니 나라도 제어를 걸어야 하지 않겠는가. 서슴없는 통증이 밤잠을 설치게 할 때마다 내 뜻은 배반하지 않으려고 해.

[1] 케케묵은 나를 나에게 엮어 철야를 보내는 것도 지친다. 눈두덩의 열감이 끊이질 않아 속눈썹으로 짓누른 채 암막을 칠 때면 상실했던 개미 떼의 감각도 되살아나니 차라리 부작용이라 느끼는 발작이 존재할 때 네가 내 주제로 살아주면 안 되겠니.

[2] 이러다 죽겠다. 그렇지. 네 말이 다 맞다. 겉으로 피만 쏟아지지 않을 뿐 혹사하는 날의 나는 철이 들지 않으려는 모양이다. 어리숙한 효용으로 늘 괜찮다. 결국엔 다 부질없어지는 것이지만 매일 작별을 해볼까 싶은데. 내 인생에 동의해 주겠니.

돌아올 자리를 마련해 두었다며 선을 긋는다. 하염없이 까매지는 도약에 오늘만큼은 완전히 투명한 빗방울이 쏟아지겠구나. 나는 위태로운 허공에서 먹이를 찾는다. 너의 휘어지는 날갯짓은 어땠어 소년아. 태양이 널 아프게 하진 않았을까. 염려 끝에 고개를 돌려본다. 치유의 힘이 없는 나는 그래.

의지, 믿음, 애정. 그리고 정의였던가. 동의 없이 타인에게 기대어 마음이 편안하다는 건 결함 전시에 가깝나. 머리에 손길을 올려 부족해도 괜찮단다. 다만 그것을 빌미로 태도를 놀리진 말았어야지. 하는 무수한 광경을 보다 나는 인간성에 단념했다. 난 필히 죽음도 과정에 포함되어야 한다고 봐.

내려앉은 자리도 위치라고 고개를 들지 않아도 되는 공간에 발 밀리미터 정도의 터를 잡고 나를 허물고 있다. 성대한 뜻이 아님에도 불구하고 가볍게 지르밟은 걸음에 부서지는 것은 왜인지 아래로 처박힌 눈꺼풀이 경련하며 말한다. 이것조차 육중해 투박한 억압이라 간혹 부단한 노력을 상상한다. 믿음의 시대를 기다리지 못하고 신의 매도가 쉬워 쾌락설을 주워 담으면서도 행복은 번지르르해 아타락시아에 락이 붙는 이유를 대꾸하라며 성을 낸 탓인가 하며. 어떤 서사로도 구사할 수 없는 감정이 흑요람도 넘어 대낮과 아침에도 구분 없이 찾아온다. 눈물의 기起를 슬픔으로 정의해도 되는가. 대소 중에도 화를 풀지 못해 죽음을 오류라고 표기하는 사항의 창을 반복해도 되는가. 떨리는 눈동자 위로 삶이 끓어 결국 납과 같은 무게가 되어버린 속눈썹을 이기지 못해 녹아내린다. 나는 어디에도 없다. 검열의 방어적 메커니즘 또한 왜곡되어 일관성으로 보이는 거리에서 무질서한 약점을 그대로 관자놀이에 짓누르며 먼 길을 부유

한다. 쇠퇴를 기억해 인간임을 철회한다. 짐승의 철자를 몇 번이고 외우는 편이 나을 정 싶은 언동의 회의로 인해 태어난 계절도 잃는다. 허울뿐인 시간이다. 나는 도대체 왜. 나는 왜. 나는.

　입을 벌린 틈으로 자폐自斃의 신음이 흐른다. 풀린 사륜으로 궤적을 그린다. 이것이 생의 증거지만 나는 없다.

사랑이 무엇인가 물으면 사랑은 사랑이다. 그저 사랑이 무엇이었나 되물으면 예禮를 중시하는 독선에 가깝지 않을까요 하는 것이다. 글을 쓰기 위해 영감은 노력하지 않지만, 글을 내기 위해선 재주꾼이 되어야 하듯이. 다정하지 않아도 당신이 있다. 만족하면 당신은 가버린다. 사랑은 불행不行이다.

바람이 차 울컥하고 별이 무성해 달이 소외되겠구나 싶어
동한다. 가식은 누구네 이름 이랬더라. 나는 보름에게 손가
락질을 했지만 올려다 본 목덜미를 쥐려 하진 않았지. 사는
게 뜻대로 되지 않는다는 건 알고 있었다. 다만 사람이 구
차해지는지 연식이 찰수록 억세져 한 서린 귀신이 될 판이
다.

미덕을 앞장세워 악인을 경고하는 시대상을 그린다. 유독 고까운 시기가 있었습니까 되물은 후의 기쁨도 알아채지 못해 흑색 펜을 들어 설문에 강요되는 답안을 적는 일도 비척거려 이탈한 구조는 어느 수의 분자 탈곡인가 싶다가 영영 — 영도 소음인 탓. 슬프진 않으나 미치긴 한다 말했다.

악마의 숭배도 아니고 등급이 매겨진 곳에 대한 하자를 평하지도 않는다. 되려 균등이 붙지 않을까. 조의도 장송곡이 되는 꼴을 시대라 표현한다면, 나는 나라 해놓고서 빗금 칠을 하는 흑연의 뒷면도 궁금하고 왜 선은 엇나가지 않는지에 대해서도 고개가 경련하여……

욕설도 눈물도 사치. 속이 끓어올라도 뱉을 수 있는 감정은 없다. 병이 호전되지 않을 거란 확신의 단언이며, 바라는 것은 오늘의 기억도 망각이 되는 것 내가 겪는 모든 순간이 현실인지 꿈인지 단순한 상상인지 부디 왜곡하길 너도 나를 이용하니 나도 너를 이용해야겠다. 제 홀로 좀먹는 공생을 한다.

너를 들어 올려 유대의 공정함을 재어본다. 한 걸음을 내디딜 때마다 몸속을 유린하는 피의 찰랑거림이 들리지 않니. 토막은 내지 못할 거야 양손이 핍박이라. 가지런한 눈꽃을 홍채 위로 피워내 심장을 맞이하는 기도의 손도 겹치고, 무릎을 꿇은 날, 중력을 거슬러도 한없이 무거워진다.

파쇄기에 절단되는 종이 낱장처럼 혹한 잉크처럼 그저 스며들 순 없을까요. 처연한 고래 소리와 파도에 **휩쓸리는** 잠귀를 키운 채 팔을 들어 뱃가죽을 찌릅니다. 부유합니다. 소금물에 절여지는 식인종의 고대 영양소였을 뿐 볕에 마르면 기화돼 사라질 날을 기다립니다. 자학을 푸니 욕망이었습니다.

감정도 재물이 되면 손괴죄가 성립되어 처벌받을 인간들이 판자를 무너뜨리고 강물 수면 위로 수를 헤아리라는 듯 떠올랐을까요. 죄 상하고만 있습니다. 쓰지 못하면 버려야 하는 게 사세고연이라는데 두개골을 내려치고 눈물을 머금으면 진주라도 되는 양 건져 올려요. 무슨, 사디즘도 아니고.

철새를 보며 울었다. 너는 계절을 아는구나 나는 사계의 지은이임에도 뇌가 회까닥하여 엄동설한에 삼베를 접는다. 평평한 길에서 비탈진 고뇌를 한다. 낮술이면 넘어가는 해를 따라 고개도 휘어 옷 주름을 보고서도 깔깔거릴 텐데 눈먼 밤이 떠올라 자꾸만 밤을 탐하는 것이다. 곁이 고와 미친 걸까.

무한한 우주적 관점에서 본 인간의 그리움 또한 별들의 세상이라 자질구레한 투쟁과 죽음마저 가소롭지 않은가. 이해하지 못할 이해의 넋에 반하여 나는 하나의 점과 먼지로써 자랑스레 살아가기로 했다.

눈을 내리깔면 바퀴벌레의 등껍질로 매몰된 행성을 보는 느낌에 소스라치게 고개를 치켜들고 사람의 수를 세지 않는 벌로 항성을 바라볼 탄지경에 아, 하는 탄식과 절대타자성을 얻었던 것 같습니다.

사람으로 태어나 흰자위가 득실거리는 움직임으로 쫓아간 말에는 심연을 탐구하고자 하는 목적이 없습니다. 손사래로 최면을 걸듯 그건 질적으로 탁월하지 않잖아요, 지칭은 두려웠고 방정맞은 손가락 사이를 접어 내린 채 눈을 감는다. 헐렁한 누비천의 옷을 뜯어 새파랗게 질린 심장 위로 손톱을 박아 넣고 말했다. 내면을 알고 싶습니다. 안광이 선명하고 행성 사이에 선 목덜미가 주춤하지 않았다면 아무개가 뜯어말린 간청은 뜻대로 곡해하란 해害라 니힐리즘을 홀로 되뇌고 목청을 울렸던 닷새 전의 신학관이 떠오른다. 기질의 밀도가 한없이 수축하여 이대로 현실을 마주해도 수용이 가능한 건지, 진땀을 털어내며 이부자리를 맞이한 여드레의

날 우연의 완벽주의로 인해 찰나로 발작하였고 더 이상 날
에 개입할 수 없는 감각의   에서 나를 보았습니다.

우리는 너무나도 많은 기생의 마른 뜻을 구원이라 꾸며 썼다. 하나가 죽어야만 끝나는 수많은 사회 속에서 어떤 이의 서사를 흡혈하였는지도 모른 채 공생이라 배웠고 애정이라 고쳤다. 시선 끝에 닿은 개체는 필히 죽어갈 것이다. 우리란 이름을 남발하였기 때문에.

소경, 나는 나를 위해야 한다는데도, 새벽 어귀를 맡는다. 공기의 흐름 위로 빳빳한 지문을 올리고, 구분한다. 어느 쪽이 사계四季의 올바른 철자인지 모른 채 모락모락한 절기를 피운다. 나지막이 춥다. 오늘은 늦추위가 오겠구나. 일모엔 옷을 여미어야지. 주름을 접는다.

불행을 세워두면 품평회를 열겠지. 어떤 자의 인생이 가장 파렴치한가 추상적 개념인 행복에 도를 붙여 확률도 계산할 거야 사람 대 사람에서 씻을 수 없는 쇼처럼. 찬양 아래에 자유를 전제하면 이차적으로 비교하기에 급급할 거고.

날 보고 각광하여라. 갈망을 해소하니 장님도 불운이더라.

슬픔의 축제 같은 건 없나. 소수의 불행을 시식해도 다수가 되지 않는 무결한 취기는. 오색찬란한 의상을 갖추고 아름다운 계약을 한다. 필기체로 휘갈긴 혈서엔 온종일 불행하리라. 낮과 밤이 공존한다는 뜻도 불명예에 가깝게 만들곤 눈물도 싱거워지는 날.

지옥문을 연다. 동정도 사랑도 할 수 없는 문드러진 미개함
으로 차버린 감정을 흙바닥에 떨구고 호소한다. 그저 글이
었다. 그럼 고작 마음이겠다. 태생을 저주한 보상 같은. 편
지를 서술하면 표현이 예뻐진댔는데 그럼 당신은 삶이 그토
록 아리따워 눈을 뜨고도 실명을 자처하였나.

차라리 불같이 휘감아 눈도 뜨지 못하게 하지. 질식해도 타고나면 나는 없을 텐데 모든 영겁은 물처럼 밀려와 흐트러진 시신 한 구도 떠버린다. 바다 위는 정처 없다고들 사색을 낭만이라 읊는다는데 나는 영롱한 물길이 가장 추잡스러워 보여 분골하여도 날지 못해서 죽음 뒤에도 추락하는 것 같다.

사랑을 물으니 사랑은 믿음이고 믿음은 무엇이냐 하니 배신하지 않는 것이란다. 그럼 그 마음을 가지려면 어떻게 해야 합니까. 그럼 사랑해야지. 몇 번이고 반복할 수밖에 없는 이해의 오류와 질의들을 살피다 사랑은 사랑하려고 하는 게 아니라 사랑할 수밖에 없었음을 깨닫는 과정 중 하나가 아닐까…….

미필적 고의에 대한 책임을 미루고 인사를 건넨다. 살아있
는 당신에게 죽을 날을 위하여. 개미 떼가 병상을 넘어 온
몸을 기어 뜯어도 모를 기억에 눈을 돌린다. 추억으로만 남
기는 게 맞는 것 같아요. 이런 식의 유언은 서로를 짓지 못
하니까. 떠나보낼 채비를 끝내고 받아들이지 않을 외면을
배운다.

[1] 해마다 범죄가 늘어나고 있습니다. 피해의 구분이 명확해지지 못하니 가해의 범위도 넓어져 가고 있습니다. 전체가 수용소가 된 기분입니다. 본능을 교열하면 사람이 된다는 말에 저는 눈을 감을 수밖에 없었습니다. 결국 사람은 처참해지지 않으면 못 사는 모양이지요.

[2] 욕설을 뇌에 담을 때마다 입안에서 작은 폭죽을 터트리는 기분. 네게 비치는 내 모습은 어때. 살맛이 생생해 보일까. 차라리 우발적 범죄의 무한한 대상이 되었으면 좋겠다. 무고한 희생자를 기려 내가 수차례의 뭇칼질을 자처해 다시 탄생하리. 그럼 이 세상엔 그 어떤 약자의 피해가 없을 텐데.

살아간다는 말이 억세게 지겹다. 다 죽어버렸으면 좋겠다고 일렁이다가 나만 사라지고 싶다고 욕심을 부린다. 생에 미련을 버리니 죽음이 이기적이다. 죽음도 이기적이고 죽으면 이기적이고 죽어도 이기적이면 그럴듯한 이해가 선다. 그렇담 나는 또 이기적으로 살아간다. 이기적으로 되기 위해 산다.

폐부에서 풍겨오는 유충의 향기. 곪아가는 기력으로 바퀴벌레알을 심었소만 살 만은 한가. 모든 걸 이루었단 흐트러짐 없는 단언의 예외란 오가는 역정의 삶이라 진동이 오는 목덜미를 긁어대니 더듬이가 반겨 온다. 환상인가 환각인가 그것도 아니면 나의 이상인가. 희뿌연 자아상을 닦고 닦으며 나는 사람으로 태어나 인간의 잔혹성을 배워놓고 벌레만도 못한 죄를 짓고 악을 점찍으려다 고작인 책을 쓴다. 앳된 목소리로 불러대는 성체여. 흙 속을 기어다니는 이름 없는 누군가는 시절도 모르고 산다는데 나는 유년을 회상하고야 만다. 뱃가죽이 아려오고 혀뿌리를 유린하듯 더듬거리는 감각으로 올라오는 토기를 감추고 내게 묻는다. 흰자위가 쉴 틈 없이 굴러다니는 세상에 나와 살만하였는가.

안녕으로 가득 채운 페이지에 이별을 품어 여긴 네가 들어
올 곳이 아니야 마지막은 서툴게도 빼곡히 아파하지 말자
네 갈 길을 가 뒤표지를 덮고 회상하는 거야 참 좋은 이야
기였다 하고

절필은 요람으로 돌아가 하얀 국화를 피우고
벚나무의 향을 지닌다

흑백포르노

발 행 | 2024년 02월 14일
저 자 | 무명
펴낸이 | 한건희
펴낸곳 | 주식회사 부크크
출판사등록 | 2014.07.15.(제2014-16호)
주 소 | 서울 금천구 가산디지털1로 119, SK트윈타워 A동 305호
전 화 | 1670 - 8316
이메일 | info@bookk.co.kr

ISBN | 979-11-410-7170-7

www.bookk.co.kr
ⓒ 무명 2024